Objectif Bac 1

Project leader and lead author

Martine Pillette

Brigitte Clarke

Project consultants

Suzanne Graham, lecturer, University of Portsmouth.

Eileen Velarde, Chief Examiner for a major examining group.

Collins Educational

An imprint of HarperCollinsPublishers

Published by Collins Educational
An imprint of HarperCollins*Publishers*
77–85 Fulham Palace Road
London W6 8JB

© HarperCollins*Publishers* 1999

First published 1999

ISBN 000 320253 4

British Library Cataloguing in Publication Data
A catalogue record for this book is available from the British Library.

Edited by Victoria Millar
Designed by Bob Vickers
Cover design by Chi Leung

Production by Sue Cashin
Photo and text research by Charles Evans
Printed and bound in Hong Kong by Printing Express

Acknowledgements

The Authors and Publishers would like to thank the following for their assistance during the writing and production of *Objectif Bac 1*:

Kate Townshend, Moorside High School, Stoke-on-Trent, for assistance in the development of, and for commenting on, the manuscript.
Bernard Dyer, Beal High School, Ilford, for commenting on the manuscript and design.
Danièle Bourdais for checking the manuscript.
Daphne Day, Collins Bilingual Dictionaries, for checking the grammar section.
Sue Hewer for reading the manuscript.
Anya Bownes and Louise Kristian, Beal High School, Ilford, for commenting on design.

Realia

Text
p17: *Madame Figaro* 3/5/97; p31: extract from *Les parents terribles* by Jean Cocteau © Editions Bernard Grasset; p37: *Francoscopie 97* (pp122-40); pp44-5: *Aujourd'hui en France* 30/7/97 (pp6-7); p49: *La République du Centre* 25/7/97; p53: *France Soir* 30/7/97 (p53); p64: *Clés de l'actualité* 290 (p5); p69: *France Soir* 27/12/97 (p6); p71 bottom right: *Libération* 1/7/97 (p19); p79: masthead of *Le Monde Diplomatique*; p83: *La République du Centre* 24/7/97 (p4); p87: top – *France Soir* 26/6/97 (p5), bottom left - *Le Parisien Aujourd'hui* 12/8/96 (p9), bottom right - *France Soir* 30/7/97 (p5); p89: middle left - *Libération* 26/11/97 (p14), middle right - *Libération* 24/10/97 (p8), bottom - *France Soir* 10/12/97 (p 4); p117: *Clés de l'actualité* 238 (p5); p120: *La République du Centre* 10/6/97; p121 top right: *L'évènement du jeudi* 656 (p85); p125: middle - *Science et Vie* Oct 94 (pp60-1), bottom - *Ca m'interesse* nb.143; p129: *Nice Matin* 16/12/96 (p5); p130: *Francoscopie 1997* (p426), *Francoscopie 1997* (p 422); pp130-1: *Francoscopie 1997* (pp 415, 420, 423); p132: *France Soir* 7/2/98 (p9).

Illustrations
p13: bottom left - *Francoscopie 1997* (p147), bottom right - *Francoscopie 1997* (p328); p15: *Francoscopie 1997* (p50); p21: *Le Nouvel Observateur* nb. 1735 (p17); p31: cover from *Les parents terribles* by Jean Cocteau © Editions Bernard Grasset; p34: *Le Parisien Aujourd'hui* 1/8/97 (p6); p44: *Guide Phosphore de l'Emploi des Jeunes* 98 (p98); p47: *L'événement du jeudi* nb. 666 (p335); p49: N. Diaye Or, chez IMAPRESS (17 rue des Cloys-75018B Paris-Tel: 0144927900-Fax: 0144927910; p50: *L'Express* nb.2385 (p85); p51: Almanach Vermot 1997 (p99); p69: *France Soir* 27/12/97 (p6); p71: *Libération* 1/7/97 (p19); p76: top and bottom - *L'évènement du jeudi* 687 (p19,22); p74: *Guide Phosphore de l'Emploi des Jeunes* 98 (back cover); p78: *Clés de l'actualité* 189 (p14); p80: VSD 23/10/97 (p85); p86: Doumic: chez REA (21 rue de Faubourg-St Antoine-75011 Paris-Tel: 0149294141; p92: *Francoscopie 1997* (p174); p93: *L'Express* 2362 (p52); p94: *L'Express* 2367 (p58); p95: *L'Express* 2367 (p64); p101: *L'Express* 2362 (p67); p103: *Francoscopie 1997* (p176); p106: *Clés de l'actualité* 200 (p11); p109 top left: photo of Jean Ferrat is reproduced with permission of *Productions Alleluia*; p110: Fluide Glacial/ editions Audie - les Bidochons; p111: *Vivre à Orleans* juillet-août 1997 (p49); p112: *L'Express* 2376 (p42); p115: middle right - *L'évènement du jeudi* 656 (p85), bottom right - *Special Reportages* Dec 95 (p4); p119: left - *Special Reportages* Dec 95 (p37), middle left - *Paris le journal* 76 (p33), middle right - *Paris le journal* 76 (p10), right - *Science et Vie* Dec 97 (p 156); p122: *Le Particulier* nb.899 (p143); p123: *Le Particulier* nb.890 (p19); p127: Henri Cartier Bresson/ Magnum Photos; p129: *Nice Matin* 16/12/96 (p9); p132: *France Soir* 7/2/98 (p9).

Photos

Cover Photos
Futuroscope, Poitiers (left) Tony Stone Images
Two Tahitian Women, Gauguin 1899 (top right) AKG
La Défense, Paris (centre right) Eye Ubiquitous
World Cup '98 (bottom right) Associated Press

AKG p107 (*Les Constructeurs*, Biot)
Associated Press p17 (centre right and right)
Tim Booth pp19 & 31, 57, 69, 71 (right), 83, 85, 101, 127 (top)
Colorific pp17 (centre left), 24 (left)
Keith Gibson pp19 & 31 (top), 19 (bottom), 43 & 54, 57, 87
National Gallery, Oslo (*The Scream*, Munch) pp91 & 102
Martine Pillette p98
President Films pp7 &18
Rex Features pp7 & 18, 24 (centre, right)
Science Photo Library pp7 & 18
SNCF-CAV p105
Still Pictures pp103 & 114
Sygma p38
Telegraph Colour Library pp17 (left), 26 (left), 31 & 42, 32 (top), 37, 55 & 66, 58, 63, 65, 67 & 78, 71 (left), 72, 75, 84, 115 (top right), 133, 135
Tony Stone Images pp9, 26 (right), 32 (bottom), 37, 50, 53, 115 & 126 (top), 132
Travel Ink pp7, 9, 109, 115 (bottom), 121 (right)

Illustrations

Kathy Baxendale p8
Abigail Conway (Sylvie Poggio Artists' Agency) pp18, 42, 60, 136
Nick Duffy (Sylvie Poggio Artists' Agency) pp23, 25, 41 (bottom), 116
Virginia Fraser (Sylvie Poggio Artists' Agency) pp88, 104
Emma Garner (Sylvie Poggio Artists' Agency) pp41 (centre), 99, 100
Rosalind Hudson (Sylvie Poggio Artists' Agency) pp14, 16, 38, 56, 96, 115
Melanie Mansfield (Sylvie Poggio Artists' Agency) pp27, 39
Paul McCaffrey (Sylvie Poggio Artists' Agency) pp12, 28-9, 61
Sylvie Poggio (handwriting) p58

Table des matières

Points langue

Unité	Sujets traités	Points langue	Mieux communiquer	Techniques de travail
1 **France – Portrait- robot**	Portrait-robot de la France Aspects comparatifs Simple réflexion sur la France	Présent Comparaisons Questions Prononciation: sons -u- et -ou-	Comprendre et expliquer quoi faire S'informer Comparaisons Nombres et statistiques (à suivre)	S'aider du contexte en lecture Lecture rapide: points clé Identifier des mots individuels à l'écoute Nombres et statistiques à l'écoute
2 **Et moi, dans tout ça?**	La personnalité Le look	Imparfait Qui/que Adjectifs Superlatif Prononciation: sons -é-/-è-/-eu- ouvert/fermé	Exprimer des opinions Parler plus	Apprendre du vocabulaire Prédire le genre des noms Suffixes français et anglais Dictionnaire français-anglais: mots à sens multiple Ecrire un paragraphe (structure et précision)
3 **Familles: évolution ou révolution?**	Evolution de la famille Relations familiales	Futur Conditionnel présent Impératif Prononciation: sons -tient et -tion	Participer à une conversation Parler des droits et des devoirs Donner des conseils	Apprendre du vocabulaire Familles de mots Prendre des notes à l'écoute Parler à partir de notes
4 **La France par l'info**	Tourisme et voyages Contrôler les enfants Santé économique	Passé composé Infinitif passé Passé composé ou imparfait? Prononciation: l'accent tonique	Nombres et statistiques (suite) Exploiter une ressource visuelle (diagramme, etc.)	Mots de liaison Synonymes à la lecture et à l'écoute Prendre des notes sur ses recherches Formation des mots Lire plus vite Résumer en anglais
5 **Stop études**	Programmes scolaires Auto-analyse Changements souhaités	Négations Subjonctif (voudrais/aimerais…) Éviter le subjonctif Adverbes Prononciation: sons -on- et -en-	Participer à un débat Comparer et contraster Demander des opinions Emettre des suggestions	Mots de fréquence Dictionnaire anglais-français: mots à sens multiple Planifier un travail écrit
6 **Bonjour, l'avenir**	Pourquoi faire des études? Stages et petits boulots Regard sur la vie active	Conjonctions et subjonctif Souhait + «qui/que/où» + subjonctif Prononciation: voyelles courtes	Ecrire une lettre officielle Participer à une interview Exprimer ses intentions Exprimer souhaits et éventualités	Retravailler un brouillon Ecrire une bonne introduction
7 **Quelles nouvelles?**	Les nouvelles dans le journal et à la radio Opinions personnelles sur les journaux	Plus-que-parfait Pronoms d'objet direct Passif Préposition + infinitif Prononciation: liaisons	Rapporter des événements Registre parlé/écrit	Traduire en anglais Enchaînement d'une phrase à l'autre Comparer des ressources parlées et écrites Semi-improvisation orale Ponctuation
8 **Santé: les temps modernes**	Maladies et médecine des temps modernes	Subjonctif (expressions impersonnelles) et comment l'éviter Infinitifs utilisés comme noms «Ça rend/fait» Pronoms «dont» et «en»	Exprimer opinions et croyances Donner des définitions	Dictionnaire monolingue: recherche de synonymes Comparer différentes ressources écrites Traduction guidée en français
9 **La ville en mutation**	Les villes changent La campagne se vide Le logement	Subjonctif (doute et émotion) Pronoms «moi, toi…» Pronom «y» Prononciation: sons -u-/-ou-/ -au-/-eu-	Activités de simulation Exprimer la déception Se plaindre Exprimer le besoin	Mieux réviser Réduire l'emploi du dictionnaire Résumer en français

Unité	Sujets traités	Points langue	Mieux communiquer	Techniques de travail
10 **Planète grise**	La pollution urbaine et rurale Les problèmes liés aux transports urbains	Expressions impersonnelles Pronoms d'objet indirect Participe présent Prononciation: son [j]	Evaluer des faits et opinions Suggérer des alternatives	Ecoute: comment aborder un passage assez long Conclure une rédaction Conseils d'examen (écoute et lecture)
11 **Besoin de vacances?**	Préférences-vacances Etude comparative Les vacances et la nature Vacances-jeunes	Recycler les Unités 1–10 à travers le thème des vacances Conseils d'examen (oral et écrit)		

Unité	Sujets traités	Points langue	Mieux communiquer	Techniques de travail
1 **Gagner sa vie**	L'évolution de l'emploi Travailler à son compte Travailler à distance Les horaires diminuent	Le subjonctif présent: conjonctions + rappel Les pronoms relatifs: rappel + «ce qui/ce dont...» Lier les sons à l'écriture	Développer un argument (registres écrit et parlé) Exprimer le besoin	Mieux écouter Apprendre la grammaire Se préparer pour un débat
2 **Un avenir pour tous?**	Le chômage La jeune délinquance	Le conditionnel passé L'infinitif passé Le point sur les voyelles (+ la phonétique)	Citer une source ou un exemple De l'impossibilité à la certitude	Mieux parler Les registres de la langue parlée
3 **La France dans le monde**	L'image de la France dans le monde La France et l'Union européenne La francophonie La décolonisation	Le passé simple Le pronom «y» (verbes + «à») Prononciation: son -r-	Planifier une rédaction (rappel) Donner des explications	Mieux lire Apprendre par cœur
4 **Le progrès à pas de géant**	Science: la génétique Progrès technologiques	L'usage du subjonctif («qui/que/quoi que») Les allégations (conditionnel) Bien rythmer une phrase	Concéder certains arguments Accord et désaccord	Mieux écrire Mieux évaluer son travail
5 **Français? Oui... et non**	L'immigration Intégration ou malaise	Le subjonctif parfait «Il lui/leur est» + adjectif Expressions + inversion	Conclure un argument Emettre des suggestions	Mieux réviser Dictionnaires monolingues
6 **Valeurs d'aujourd'hui**	Croyances d'aujourd'hui Aider les autres	L'accord du participe passé avec les pronoms Préposition + pronom relatif Décrire le passé par le présent	Comparer et contraster Convaincre	Conseils d'examen: la lecture et l'écoute
7 **Question d'image**	La force médiatique Le marketing se vend bien	Le futur antérieur *Should, could*, etc.	Exprimer croyances, souhaits et regrets	Conseils d'examen: l'oral et l'écrit
8 **La culture à toutes les sauces**	La télé: l'amour ou la haine? La chanson a son mot à dire Image et grands projets Loisirs et culture			

Objectif Bac 2

Introduction

Chaque langue reflète une culture et une population variées en changement perpétuel. En consolidant votre maîtrise de la langue, *Objectif Bac 1* vous aide donc aussi à découvrir la France et ses habitants et vous invite à la réflexion sur votre pays et sur vous-même. Bonne chance dans vos études.

Structure d'*Objectif Bac 1*

Chaque unité fait 12 pages, plus 4 feuilles de travail:

- la première page, qui présente d'abord les objectifs
- 2 à 4 mini-thèmes
- la dernière page, qui vous aide à faire un bilan.

Point langue La grammaire est expliquée:

- en français dans chaque Unité
- en anglais (plus en détail), dans le résumé grammatical (pp140–73).

Techniques de travail De nombreuses stratégies vous aident à mieux apprendre, travailler, réviser et vous préparer aux examens.

 Ce symbole indique les activités avec cassette.

Feuilles d'introduction

La feuille 1 vous aide à vous familiariser avec la structure d'ensemble d'*Objectif Bac 1*.
La feuille 2 vous suggère certaines méthodes pour faciliter votre travail.
La feuille 3 vous donne des conseils pour le travail d'écoute à la maison.
La feuille 4 vous donne des conseils pour le contrôle continu.

Les francs et les euros

- Janvier 2002: l'euro remplace entièrement le franc.
- Valeur fixée le 31/12/98: 1 euro = 6,55957 francs!

Conversion francs-euros		Conversion euros-francs	
(en chiffres ronds)		*(en chiffres ronds)*	
10F	= 1,5€	1€	= 6,55F
20F	= 3€	5€	= 33F
50F	= 7,5€	10€	= 66F
100F	= 15€	20€	= 131F
200F	= 30€	50€	= 328F
500F	= 76€	100€	= 656F
1 000F	= 152€	200€	= 1 319F
2 000F	= 304€	500€	= 3 280F
5 000F	= 762€	1 000€	= 6 559F
10 000F	= 1 525€	2 000€	= 13 118F

France – Portrait-robot

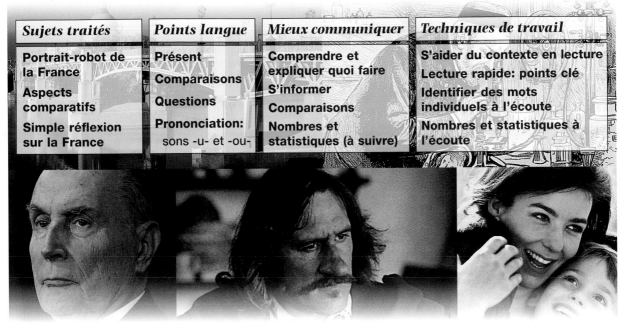

Sujets traités	Points langue	Mieux communiquer	Techniques de travail
Portrait-robot de la France	Présent	Comprendre et expliquer quoi faire	S'aider du contexte en lecture
Aspects comparatifs	Comparaisons	S'informer	Lecture rapide: points clé
Simple réflexion sur la France	Questions	Comparaisons	Identifier des mots individuels à l'écoute
	Prononciation: sons -u- et -ou-	Nombres et statistiques (à suivre)	Nombres et statistiques à l'écoute

1 Que savez-vous de la France? Jouez par petits groupes.
Bonne réponse: plus 1 point
Mauvaise réponse: moins 1 point
En quatre minutes, citez le maximum de:

a ... villes de plus de 500 000 habitants.

b ... montagnes.

c ... maisons de haute couture.

d ... auteurs contemporains ou non.

e ... départements.

f ... femmes/hommes actuellement au gouvernement.

> *Tu connais les montagnes?*
>
> *Vous avez combien de départements?*
>
> *Ça s'écrit comment?*
>
> *On a seulement deux auteurs.*
>
> *Fais les départements, et moi, les villes.*

2 **A** Changez de groupe. Pour chaque définition, trouvez un/le mot qui commence par la lettre indiquée.

a **M–** Politicien français du 20ᵉ siècle.

b **D–** Acteur contemporain.

c **A–** Ancienne colonie française d'Afrique.

d **D–** Chanteuse francophone non française.

e **T–** Evénement sportif sur route l'été.

f **P–** Magazine amateur de célébrités.

g **S–** Ville-siège du Conseil de l'Europe.

h **T–** Noire, rare, mangeable et très, très chère.

B Complétez ou vérifiez vos réponses à l'aide de la cassette. Attention: elles sont dans le désordre.

Géo-info

1 Regardez la carte. A plusieurs, décidez quelle ville ou région correspond à quel code.
Exemple: **Bordeaux: V5.**

Villes	Régions
Bordeaux	l'Alsace
Lille	l'Aquitaine
Lyon	la Basse-Normandie
Marseille	la Bourgogne
Nice	la Corse
Paris	l'Ile-de-France
Strasbourg	la région Rhône-Alpes
Toulouse	

Tu sais/vous savez
où se trouve Lille?

Je crois que Lille
est en V. . .

A mon avis, c'est
plus au nord.

Non. Je sais que
c'est en V. . .

2 Vous hésitez sur **l'activité 1**? Vous avez maintenant:
– huit minutes maximum pour exploiter la cassette et la **feuille 1A**
– quatre minutes pour finaliser vos réponses de groupe.

> *A mon avis, Bordeaux se trouve en V...*
> *parce que le texte dit que...*

> *Non, je pense que c'est là, parce que*
> *la cassette dit que...*

3 Lisez **Midi-Pyrénées**. Les verbes sont à quel temps?
Recopiez les verbes avec leur infinitif. Aidez-vous d'un dictionnaire si nécessaire.
Exemple: compte – compter

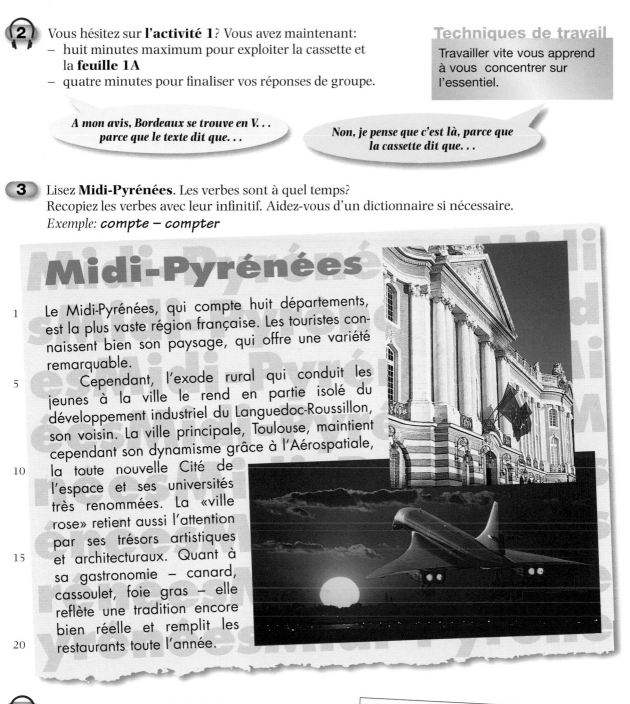

Midi-Pyrénées

1 Le Midi-Pyrénées, qui compte huit départements, est la plus vaste région française. Les touristes connaissent bien son paysage, qui offre une variété remarquable.

5 Cependant, l'exode rural qui conduit les jeunes à la ville le rend en partie isolé du développement industriel du Languedoc-Roussillon, son voisin. La ville principale, Toulouse, maintient cependant son dynamisme grâce à l'Aérospatiale,

10 la toute nouvelle Cité de l'espace et ses universités très renommées. La «ville rose» retient aussi l'attention

15 par ses trésors artistiques et architecturaux. Quant à sa gastronomie – canard, cassoulet, foie gras – elle reflète une tradition encore bien réelle et remplit les

20 restaurants toute l'année.

4 Pratiquez ces sons à l'aide de la cassette.

-u- [y]	-ou- [u]
rural	Toulouse
université	touristes
architecturaux	nouvelle
huit	cassoulet
conduit	Roussillon

Jeux de sons

Pourquoi cours-tu sur tous les futons?

Tu joues sur pelouse ou sur béton?

Cassoulet dur, un plaisir pur, cassoulet mou, ça fond en nous.

pelouse (f): *lawn*   béton (m): *concrete*
dur/mou: *hard/soft*   fondre: *to melt*

Le présent ▶▶ *pp155–6*

Attention: l'infinitif ne vous aide pas toujours à bien conjuguer.
Voici les modèles de conjugaison les plus utiles:

	1	2	3	4
je	compt**e**	rempl**is**	condu**is**	rend**s**
tu	compt**es**	rempl**is**	condu**is**	rend**s**
il	compt**e**	rempl**it**	condu**it**	rend
elle	compt**e**	rempl**it**	condu**it**	rend
on	compt**e**	rempl**it**	condu**it**	rend
nous	compt**ons**	rempl**issons**	condu**isons**	rend**ons**
vous	compt**ez**	rempl**issez**	condu**isez**	rend**ez**
ils	compt**ent**	rempl**issent**	condu**isent**	rend**ent**
elles	compt**ent**	rempl**issent**	condu**isent**	rend**ent**

Note – Verbes irréguliers particulièrement utiles (voir **pp166–73**):

aller – devoir – dire – écrire – être – faire – lire – mettre – ouvrir – partir – pouvoir – préférer – prendre – savoir – sortir – venir – voir – vouloir.

5 Complétez **a–e**.

a La majorité des verbes du modèle 1 ont un infinitif en . . .

b Vendre, attendre, descendre, perdre, se conjuguent sur le modèle numéro . . .

c Ouvrir, offrir, découvrir, souffrir, cueillir *to pick* et accueillir *to welcome* se conjuguent sur le modèle numéro . . .

d Lire, suffire, séduire, cuire *to cook* et plaire (attention au -î-) se conjuguent sur le modèle numéro . . .

e Finir, choisir, établir, saisir *to seize* et connaître (attention au -î-) se conjuguent sur le modèle numéro . . .

Techniques de travail

Pour faire les **activités 5–8**, consultez:

- les modèles ci-dessus
- les tables de verbes pp166–73
- les notes de grammaire pp140–65
- les tables de verbes de votre dictionnaire

6 Qu'est-ce que les verbes suivants ont en commun?

a savoir/vivre/boire/recevoir/écrire/suivre/devoir

b pouvoir/vouloir

c dire/faire

d sortir/partir/mentir *to lie*

e croire/voir/fuir *to run away*/envoyer/payer/essayer/ s'ennuyer/nettoyer

f rire/rompre/courir

g tenir/venir

Techniques de travail

Pour simplifier votre travail, apprenez ces verbes par série.

7 Qu'est-ce que ces verbes ont de spécial?

    a commencer (avancer, lancer)

    b manger (protéger, voyager, partager *to share*)

    c mettre (battre *to beat*, jeter *to throw*)

    d acheter (se promener, geler *to freeze*, amener *to bring along*, emmener *to take away*)

    e espérer (compléter, s'inquiéter, posséder, préférer, protéger, répéter, suggérer)

8 Remplacez les verbes tirés de **Midi-Pyrénées** (**p9**) par les verbes de droite.
Exemple: **compte** ➡ **comprendre** ➡ **comprend**

compte	➡	comprendre
connaissent	➡	apprécier
offre	➡	refléter
conduit (...) à la ville	➡	faire fuir
rendent	➡	maintenir
maintient	➡	retenir
retient (...) l'attention	➡	séduire
reflète	➡	déployer
remplit	➡	ravir

9 **A** A deux, aidez-vous des notes proposées, de **Midi-Pyrénées**, de la **feuille 1A** et de votre travail sur les verbes pour écrire un paragraphe sur la région Centre.

Le Centre 🍎🍎🍎🍎🍎🍎🍎🍎🍎🍎

6 départements 🍎 cœur de la France 🍎 distance océan atlantique: 200 km 🍎 près de Paris, mais identité réelle 🍎 villes: Orléans, Tours 🍎 touristes: la Sologne (forêt) et les châteaux de la Loire 🍎 produits agricoles (céréales, fruits, fromage de chèvre) 🍎 quatre centrales nucléaires 🍎 industrie légère

B Regroupez-vous avec deux autres personnes et produisez un paragraphe de groupe à l'aide de vos paragraphes respectifs.

C Entraînez-vous à lire votre paragraphe à voix haute, puis lisez-le devant la classe ou enregistrez-vous.

> Pour plus de pratique sur le présent, voir **feuilles 2** et **3**.

D'un pays à l'autre

TON PAYS, TU CONNAIS?

1 Le nombre de Musulmans en France s'élève à:
a 4 millions
b 2,5 millions
c 800 000.

2 La population est:
a plus nombreuse en France
b plus nombreuse au Royaume-Uni
c plus ou moins identique dans les deux pays.

3 Les études supérieures sont plus populaires:
a en France
b en Irlande
c au Royaume-Uni.

4 En France, la scolarité est obligatoire jusqu'à:
a 16 ans
b 18 ans.

5 Il y a plus de malades du sida:
a en France
b en Irlande
c au Royaume-Uni.

6 On habite plus de maisons (par rapport aux appartements):
a en France
b en Irlande
c au Royaume-Uni.

7 Les propriétaires de leurs logements sont plus nombreux:
a en France
b en Irlande
c au Royaume-Uni.

8 On se marie plus:
a en France
b en Irlande
c au Royaume-Uni

9 On divorce plus:
a en France
b en Irlande
c au Royaume-Uni.

10 La délinquance est plus élevée:
a en France
b en Irlande
c au Royaume-Uni.

11 On est plus en faveur de l'UE (Union européenne):
a en France
b en Irlande
c au Royaume-Uni.

12 On est plus religieux:
a en France
b au Royaume-Uni.

13 On considère surtout qu'il y a trop d'étrangers dans le pays:
a en France
b au Royaume-Uni.

14 On travaille surtout à temps partiel:
a en France
b au Royaume-Uni.

15 On compte plus de jeunes chômeurs:
a en France
b en Irlande
c au Royaume-Uni.

16 On lit le plus de journaux quotidiens:
a en France
b au Royaume-Uni.

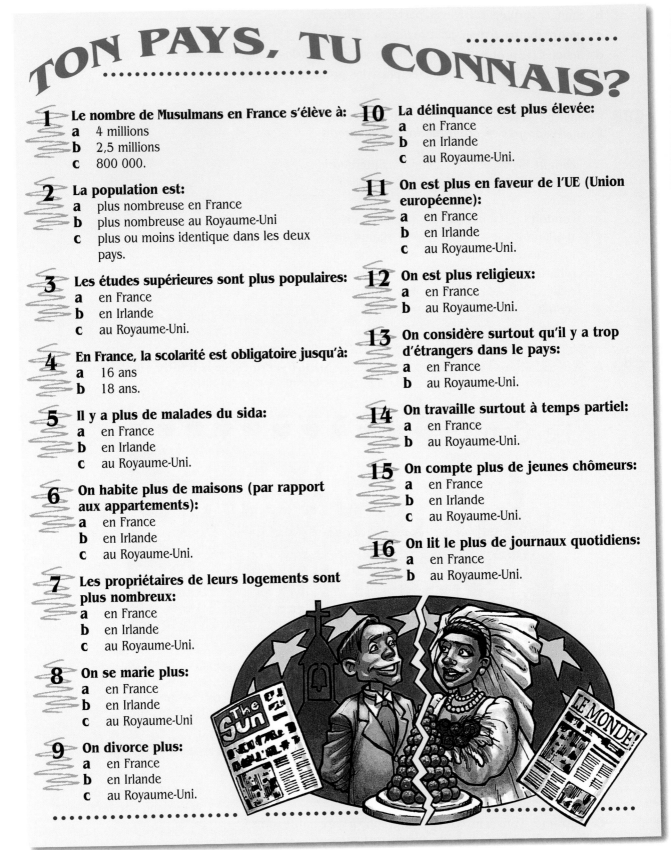

1 **A** En 5 minutes maximum, aidez-vous du contexte pour relever chronologiquement les expressions suivantes, utilisées dans **Ton pays, tu connais? (p12)**.

a	amounts to	**g**	place of residence
b	in the UK	**h**	high
c	higher education	**i**	foreigners
d	schooling	**j**	part-time
e	AIDS	**k**	unemployed
f	in comparison with	**l**	daily

B Sélectionnez individuellement vos réponses à **1–16**.

2 **A** Ecoutez Fabrice. Vous avez des choix en commun? Notez bien qu'il répond seulement à certaines questions de **Ton pays, tu connais?**, et dans le désordre.

B A plusieurs, vérifiez si vous avez bien compris les réponses de Fabrice:

Techniques de travail
Préparez-vous: regardez encore les questions pour trouver la bonne place plus vite quand vous entendrez Fabrice.

> *Fabrice pense qu'on se marie plus en France.*

> *Oui, c'est exact.*

> *Oui, en effet.*

> *Oui, j'ai entendu ça, moi aussi.*

> *Ah non, moi j'ai compris en Irlande.*

3 Vérifiez les réponses à **Ton pays, tu connais?** à l'aide de la **feuille 1B**.
Préparation – Cherchez ces mots dans le dictionnaire si nécessaire:

cependant	**croyances**	**malgré**	**la Manche**	**pays**	**voisin**

4 Relisez la **feuille 1B** et soulignez les expressions utilisées pour établir des comparaisons.
*Exemple: . . . **le mariage est beaucoup plus populaire au Royaume-Uni qu'en Irlande**. . .*
Vérifiez que vous comprenez bien toutes les expressions.

Point langue

Comparaisons ▶▶ *pp146–7*

Amusez-vous aussi à chercher des expressions comparatives dans des publicités, comme ci-dessous.

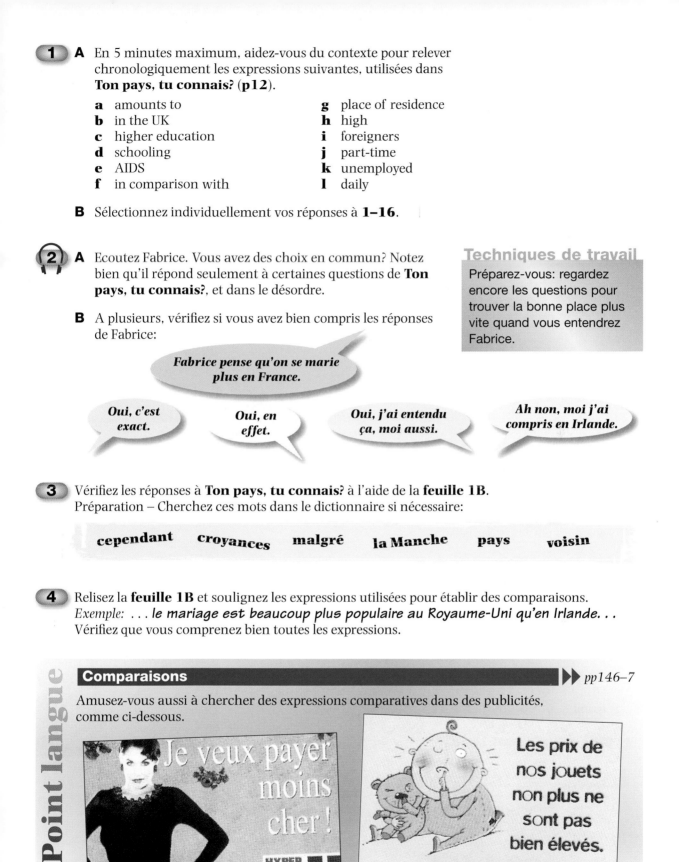

Je veux payer moins cher!
HYPER SUPER MARCHÉ U

Les prix de nos jouets non plus ne sont pas bien élevés.
TOYS ЯUS

5 **A** Traduisez **a–f** sans dictionnaire en vous aidant de la **p12**, de la **feuille 1B** et de **l'activité 4**.

    a One sees fewer and fewer marriages in France. (On observe . . .)

    b Marriage is still more popular in the UK. (Le mariage reste . . .)

    c It is noticeable that the divorce rate is far lower in Ireland. (On remarque que . . .)

    d Did you know that the French are far more interested in higher education? (Savez-vous que . . .)

    e It is true that, in Ireland, houses are more popular than flats. (Il est vrai que . . .)

    f There is more part-time work going on in the UK. (Il existe . . .)

B Vous avez des difficultés? Aidez-vous de la cassette.

C Après les corrigés, refaites cet exercice à deux, mais cette fois-ci sans aide.

D Bien organisée, une liste bilingue est utile pour apprendre du vocabulaire. A l'aide de la **feuille 1B**, organisez votre lexique personnel sur les comparaisons.

6 Utilisez une partie des données ci-dessous pour faire un travail comparatif. Seuls ou à plusieurs, écrivez au choix:

- des phrases individuelles
- un ou plusieurs paragraphes.

Techniques de travail

Activité 5A
Noms, verbes et adjectifs: attention aux accords.

Techniques de travail

Activité 5D
Que trouvez-vous le plus utile?

– de simples expressions?
  «moins. . . que»
  less. . . than

– des exemples plus complets?
  «Les Français sont moins tolérants que leurs voisins.»

Techniques de travail

Réutilisez les expressions rencontrées précédemment. Ne citez pas les chiffres. Utilisez le dictionnaire cinq fois maximum.

CADRE DE VIE

	Espace (m² par habitant)	Température (°C) moyenne	Forêts (% du territoire)	Routes (km/1 000 habitants)	Voies ferrées (km/million d'habitants)
FR.	9 472	11,9	28	15,8	579
R.-UNI	4 194	9,1	10	6,6	289

SANTE

	Cancer (/100 000 habitants)	Sida (/million d'habitants)	Médecins (/1 000 habitants)	Alcool (litres/pers. /an)	Cigarettes (/personne /an)
FR.	436	637	2,9	14,8	1 551
R.-UNI	462	189	1,5	11,0	1 489

7 Ecoutez la cassette et comparez les données avec **CADRE DE VIE** et **SANTE** (p14). Ecrivez **vrai** ou **faux**.

Techniques de travail

- On écrit 2.9 en anglais mais 2,9 (deux virgule neuf) en français.
- 2,5 = deux virgule cinq ou deux et demi
- % se dit: pour cent.

8 **A** Complétez chaque question sur **CADRE DE VIE** et **SANTE** en faisant correspondre les deux moitiés.

> m² = mètre carré
> 100 = cent; 1 000 = mille (pas d'article)

a Combien de cas de cancer pour 100 000

b A combien de degrés la

c Combien de litres

d Quel pourcentage du territoire

e Quelle proportion de médecins

f Combien de kilomètres de

g Quelle surface par habitant est

1 d'alcool consomme-t-on par an au Royaume-Uni?

2 trouve-t-on au Royaume-Uni?

3 habitants trouve-t-on au Royaume-Uni?

4 disponible en France?

5 français les forêts occupent-elles?

6 routes trouve-t-on en France pour 1 000 habitants?

7 température moyenne s'élève-t-elle en France?

B Pour pratiquer chiffres et statistiques sans hésiter, entraînez-vous à répondre aux questions ci-dessus à deux. Changez le pays si vous le désirez.

9 Pour compléter le travail sur les chiffres, relevez les données de la cassette.

a – Taille moyenne des hommes? *1,73m*
  – Différence 1979-1999?

b – Taille moyenne des femmes?
  – Différence 1979-1999?

c – Cadres de plus d'1,80m (%)?
  – Agriculteurs de plus d'1,80m (%)?

d – Poids moyen du Français?
  – Poids moyen de la Française?
  – Différence femmes 1979-99?
  – Différence hommes 1979-99?

e – Poids moyen du chef d'entreprise?
  – Poids moyen de l'ouvrier?

Programme minceur.

Bref, mangez des pommes.

Symboles ou clichés?

1 **A** Complétez les questions à l'aide de l'interview.

    a Pour vous, qu'est-ce _____ symbolise la France?

    b Pourquoi est-ce _____ vous choisissez la baguette?

    c _____ la baguette n'est pas un peu démodée, peut-être?

    d Et qu'est-ce _____ représente votre ville? Choisissez un mot.

    e _____ vous vous représentez le Français moyen?

    f _____'on devient réellement Français? Après combien d'années?

    g _____ la France s'intéresse à l'Espagne?

    h _____ est-ce _____ symbolise la France pour vous en ce moment?

    i Alors, _____ personnage _____ vous admirez à l'étranger?

B Réécoutez l'interview et prenez des notes sur les réponses.

C Tous ensemble, comparez vos notes oralement en parlant par phrases complètes.

> *Pour cet homme, la baguette symbolise la France...*

Techniques de travail
Lisez d'abord les questions de l'interview. Elles vous aident à anticiper le thème.

LIBERTÉ·EGALITÉ·FRATERNITÉ

Techniques de travail
Aidez-vous des questions pour formuler vos phrases.

Point langue

Poser des questions   ▶▶ *pp148–9*

Il existe trois méthodes:

- **Conversation ordinaire – questions avec «est-ce que»**
  a Voir l'**activité 1**.
- **Style très formel – inversion sujet-verbe**
  b Pourquoi choisissez-vous la baguette?
  c La baguette est-elle un peu démodée?
  d La France s'intéresse-t-elle à l'Espagne?
- **Style familier – pas d'inversion; pas de «est-ce que»**
  e La France s'intéresse à l'Espagne?
  f Vous admirez quel personnage à l'étranger?

Notes
- *Which?* = Quel? Quelle? Quels? Quelles?
- Est-ce que [ɛsk] Qu'est-ce que [kɛsk]
- Que représente votre ville? = Qu'est-ce que représente votre ville? = Votre ville représente quoi? (familier)
- «Qu'est-ce qui» ne peut pas être remplacé par une inversion
- Qui est-ce qui symbolise la France? = Qui symbolise la France? (pas d'inversion)
- *Exemple **b**:* le sujet est un pronom (vous) ➡ inversion simple.
- *Exemple **c**:* le sujet est un nom (la baguette) ➡ sujet + verbe + pronom correspondant au sujet (elle).
- *Exemple **d**:* Dans une inversion, si le verbe finit par un **-e** suivi d'une voyelle, on ajoute **-t-** pour faciliter la prononciation.

2 Réécrivez ces questions en utilisant le style formel (inversion sujet-verbe).

   a Vous préférez la France ou l'Espagne?

   b Comment est-ce qu'on peut décrire le Français moyen?

   c Qu'est-ce que vous trouvez typique de la France?

   d Pourquoi est-ce que les Français ont une réputation de chauvinistes?

   e Est-ce que vous pensez quitter la France un jour?

   f Est-ce que le Français moyen aime voyager?

   g Les Français acceptent facilement le changement?

   h Est-ce que les Français sont très différents des Espagnols?

3 A deux, aidez-vous des **activités 1** et **2** pour préparer une interview similaire sur votre pays. Réutilisez les questions ou inventez-en.

4 Et que pensent les Français de leurs voisins? Lisez pour le plaisir, sans dictionnaire.

LES ANGLAIS SONT DES GÉNIES

LES ANGLAIS SONT DES GÉNIES. Ils ont inventé le thé, la pluie, les Sex Pistols, l'humour, le clonage et Churchill. On peut donc tout leur pardonner: leur frilosité face à l'Europe, leurs hooligans, leur conduite à gauche, le clonage et les Beatles. (. . .) Vive l'Angleterre, patchwork gigantesque où le sucré se mêle sans cesse au salé. L'Angleterre recèle une infinie possibilité de looks, d'attitudes, de philosophies (. . .). Angleterre, pays des paradoxes! Angleterre, sans cesse écartelée entre le passé et l'avenir, mais qui, étrangement, ne sait pas s'accommoder du présent. Etrange pays qui sait être en retard ou en avance, mais jamais à l'heure. On y trouve cent fois plus de magasins d'antiquités que nulle part en Europe, mille fois plus d'amateurs de livres anciens, mais c'est là aussi que, pendant ce temps, s'inventent les nouvelles tendances musicales, techno-rage-ragga-rap, jungle-dance-pop-ska, neo-folk-hip-house, et j'en passe, qui s'échafaudent au moment où j'écris ces lignes. Angleterre: laboratoire et musée (. . .) Mais il y a une autre raison, plus personnelle, qui me fait aimer l'Angleterre. C'est que les écrivains y sont bons. Très bons. Osons le clamer: ce sont même bien souvent les meilleurs. (. . .) Les romanciers d'outre-Manche narrent, construisent des intrigues, troussent des suspens, ou du moins sortent prendre un peu l'air: voyez P.D. James, Martin Amis, Julian Barnes, pour ne citer que les plus récents. La remarque, bien évidemment, vaut aussi pour le cinéma. (. . .) Grâce au tunnel, Londres est devenue la banlieue de Paris, et Paris, la banlieue de Londres.

Tiré d'un article de Yann Moix, publié dans Madame Figaro, 3/5/97.

● Entre autres choses, vous devriez maintenant savoir mieux:
  – utiliser le présent
  – établir des comparaisons
  – analyser des statistiques
  – poser des questions
  – comprendre et expliquer quoi faire.

● En plus, nous espérons que vous vous posez maintenant plus de questions sur la France et ses habitants, et que nous avons éveillé votre esprit analytique.

Si vous êtes satisfaits de vos progrès, passez immédiatement aux activités ci-dessous.

Sinon, voici quelques suggestions:

– refaites certaines activités en réutilisant le matériel de référence si nécessaire (ex. 5–8 pp10–11; 4 p13)
– examinez les corrigés d'activités, puis refaites certaines activités sans aide (ex. 5 p14; 7 p15; 2 p17)
– inventez des exemples supplémentaires pour certaines activités
– révisez le vocabulaire essentiel à deux et faites des phrases avec les expressions les plus difficiles
– testez-vous à deux sur des chiffres et des pourcentages au hasard
– faites la **feuille 4** (*Comprendre ou expliquer quoi faire*).

Avez-vous d'autres suggestions?

A Travaillez oralement, à deux ou plus. Vous pouvez ensuite consolider votre travail par un résumé écrit. Imaginez les qualités, loisirs, préférences, etc., des deux personnages. Insistez sur l'aspect comparatif. Demandez l'opinion des autres en posant des questions.

B Cherchez des statistiques comparatives sur un sujet qui vous intéresse, ou utilisez les statistiques ci-dessous pour faire un exposé oral ou écrit.

	Proportion d'étrangers (%, 1990)	60 ans+ (%, 1990)	Sans diplômes (%, 1990)	Familles mono-parentales (1990, /1 000)	Chômage (%, 1994)	Salaire net annuel (1991, 000F)
Bretagne	0,9	21,9	23,2	73	11,2	96
Ile-de-France	12,9	15,8	21,5	342	10,9	139
Martinique	0,9	14,0	46,8	31	25,0	–
Midi-Pyrénées	5,5	24,2	26,5	71	11,4	100

Et moi, dans tout ça?

Sujets traités	Points langue	Mieux communiquer	Techniques de travail
La personnalité **Le look**	**Imparfait** **Qui/que** **Adjectifs** **Superlatif** **Prononciation:** sons -é-/-è-/-eu- ouvert/fermé	**Exprimer des opinions** **Parler plus**	**Apprendre du vocabulaire** **Prédire le genre des noms** **Suffixes français et anglais** **Dictionnaire français-anglais:** mots à sens multiple **Ecrire un paragraphe** (structure et précision)

Question d'identité

1 D'après vous, qui sont les jeunes de la photo ci-contre? Où sont-ils? Se connaissent-ils depuis longtemps? Se rencontrent-ils souvent? Pourquoi sont-ils ici? Lequel ou laquelle vous attire le plus? Pourquoi?

Le garçon à droite a l'air assez/plutôt + adjectif

Elle me semble + adjectif

Il me donne l'impression d'être + adjectif

2 **A** Mettez en commun tous les adjectifs que vous connaissez pour décrire la personnalité.

B Des adjectifs suggérés ci-dessus, choisissez les cinq ou six qui vous décrivent le mieux, puis faites la même chose pour votre partenaire. Comparez ensuite vos choix à deux:

Moi, je me/te trouve assez...   On me reproche d'être...

Non, à mon avis, je suis plutôt...   Je crois que je suis...

Je dirais que tu es vraiment...   **Je dois avouer que je suis...**

C Illustrez oralement votre auto-analyse.

Je suis très impatiente, par exemple quand le bus a du retard.

3

A Elucidez un maximum d'adjectifs en dix minutes (à plusieurs, avec dictionnaire).

Tu comprends. . . ?   **Je crois que ça veut dire. . .**

Tu peux chercher. . . ?

Moi, je cherche. . .

Tu as trouvé. . . ?

B Trouvez des parallèles français-anglais.
Exemple: *-ous* (anglais) ⟷ *-eux* - généreux

curieux   paresseux   irresponsable   têtu   ignorant

impatient   ennuyeux   insouciant   sincère

ouvert   solitaire   prudent   honnête

arrogant

sensible   optimiste   imaginatif   gai

amusant   généreux   vaniteux

timide   menteur

réservé   égoïste   cultivé

extraverti   bavard   spontané   sensuel

passionné

calme   distant   rêveur

pessimiste   dur   insupportable

impétueux   farceur

introverti   orgueilleux

dominateur   mal élevé

dynamique   courageux   sympathique

patient   jaloux

travailleur   tolérant   désagréable

distrait   réaliste

raisonnable   responsable   malhonnête

enthousiaste

4

A Entraînez-vous à mettre les adjectifs ci-dessus au féminin (avec dictionnaire), puis dressez une liste des terminaisons (*word endings*) inhabituelles, c'est-à-dire pas simplement masculin **+ -e**.
Exemple: *-eux, -euse*: curieux, curieuse. . .

Point langue
Adjectifs
Voir pp142–3

B Ecoutez les adjectifs **1–15**: sont-ils masculins (M), féminins (F), ou peuvent-ils être les deux (MF)?

Point langue
Le superlatif
(le plus. . ./le moins. . .)
Voir p147

5 Improvisez des questions et réponses de ce genre:

— D'après toi, quelle est la personne la plus/la moins patiente dans la classe/dans ta famille/parmi tes amis?
— Personnellement, je dirais que c'est. . .

6

Six personnes se décrivent sur cassette. D'après vous, quels adjectifs les décrivent le mieux? Choisissez-en un ou plusieurs à chaque fois.

7 **A** Quels adjectifs (**p20**) trouvez-vous...

> ... **plutôt positifs?**
>> ... **plutôt négatifs?**
>>> ... **versatiles?**

B Recopiez des groupes d'adjectifs synonymes exacts ou approximatifs.

C Ecoutez les dix adjectifs et donnez-leur un ou plusieurs antonymes (mots de sens contraire).
Exemple: **1 extraverti ➡ introverti**

Techniques de travail

Classer le vocabulaire aide à l'apprendre plus facilement:
- noms/verbes/adjectifs... séparément
- synonymes/antonymes
- mots de la même famille
- mots masculins/féminins
- mots positifs/négatifs
- vocabulaire essentiel/ supplémentaire...

8 **A** Devinez le genre de ces noms en pensant à d'autres noms familiers à terminaison identique. Si nécessaire, vérifiez dans le dictionnaire.

Techniques de travail

Certaines terminaisons correspondent à un genre précis. Pas toutes, hélas!

curiosité   impatience   optimisme

distraction   arrogance   paresse

bavardage   passion   jalousie

sympathie   solitude

B Trouvez des noms de la même famille que les adjectifs **p20** (avec dictionnaire).
Exemple: **sensible – la sensibilité**

9 A plusieurs, discutez des qualités que vous appréciez plus particulièrement chez vos parents/vos professeurs/vos amis...
Ceci vous donne l'occasion de réutiliser les noms de l'**activité 8**.

 J'apprécie plus particulièrement le/la...

Le/la ... te paraît important(e)?

A mon avis, le/la..., c'est essentiel.

Par contre, je ne trouve pas le/la... indispensable.

10 Les premières impressions peuvent être justifiées ou trompeuses, mais sont toujours inévitables. A plusieurs, «construisez» l'homme de la photo (sa vie, son travail, sa personnalité...) oralement. Pouvez-vous aussi donner des exemples expliquant comment, d'après vous, il réagit dans certaines circonstances?

11 Entraînez-vous à prononcer ces sons et ces phrases à l'aide de la cassette.

> [ɛ], sincère, rêveur, honnête, distrait, ouvert, persuasif, divertissant
>
> [e], égoïste, élevé, tolérant, désagréable, cultivé, réaliste, passionné
>
> [œ], rêveur, menteur, farceur, travailleur, dominateur
>
> [Ø], rêveuse, généreux, courageuse, ennuyeuse, vaniteux
>
> J'aime tellement cette belle ferme qui disparaît dans l'herbe verte.
>
> Un bébé cultivé s'est cassé le nez à travailler dans l'obscurité.
>
> Un curé anglais était habitué à déjeuner sur son vélo violet.
>
> Le farceur a mis du beurre sur l'ordinateur du professeur.
>
> Deux vieux grincheux et belliqueux ont mis le feu à Bayeux.
>
> Le docteur au grand cœur amoureux de ma sœur est vaniteux mais généreux.

12 **A** Traduisez **a–g** uniquement à l'aide du quiz (**p23**).

  a to tend to. . .

  b to attend

  c to think/consider that. . .

  d I sometimes. . .

  e to consider oneself. . .

  f to seek to. . .

  g to enjoy (doing something)

B A l'aide d'un dictionnaire, recopiez ou inventez des phrases pour illustrer au moins deux sens différents de chaque verbe:

assister	arriver	estimer	chercher

C Faites le quiz en répondant *Oui, Non* ou *Je ne sais pas* (*?*), puis additionnez vos points (voir **feuille 1A**).

D Ecoutez les commentaires enregistrés tout en les complétant (**feuille 1B**). Les mots manquants ressemblent tous à des mots anglais, malgré leur prononciation très différente.

E Etes-vous d'accord avec les commentaires (**feuille 1B**)? Parlez-en à plusieurs en réutilisant les expressions utiles (**p19, activité 2B**).

F Ecoutez Maude qui fait des commentaires sur les questions **1–5** du quiz et déduisez ses réponses.

Techniques de travail

**Dictionnaire français-anglais
Mots à sens multiple**
En traduisant les verbes du français à l'anglais avec un dictionnaire, faites attention:

- au contexte

- aux exemples donnés

- aux différentes manières de les utiliser (par exemple avec ou sans «à/de/en. . .»

  Par exemple, «assister» et «assister à» se traduisent différemment.

Le quiz du psychologue amateur

1 Quand tu te trouves en compagnie d'inconnus, as-tu tendance à ne rien dire?

2 T'arrive-t-il souvent de penser à des choses que tu n'as pas osé faire?

3 Aimes-tu assister à des fêtes?

4 As-tu tendance à prendre ton travail très au sérieux?

5 Estimes-tu que tu prends bien la plaisanterie?

6 Trouves-tu déplaisantes les occasions qui attirent de nombreuses personnes?

7 As-tu tendance à accomplir rigoureusement toutes tes obligations?

8 Estimes-tu que les autres te trouvent gai(e)?

9 T'arrive-t-il souvent de repenser aux bons moments du passé?

10 Trouves-tu la solitude ennuyeuse?

11 Dans un emploi, choisis-tu l'action de préférence à la réflexion?

12 Préfères-tu avoir un petit groupe d'amis?

13 T'estimes-tu plutôt bavard(e)?

14 Cherches-tu à te faire de nouveaux amis?

15 Aimes-tu savoir toujours exactement ce que tu as à faire?

16 T'estimes-tu souvent capable de mieux faire les choses que les autres?

17 As-tu tendance à penser fréquemment aux choses que tu as mal faites?

18 Prends-tu plaisir à diriger un débat ou une discussion?

19 Passes-tu tout de suite à l'action ou réfléchis-tu longuement?

20 Aimes-tu les occasions de te montrer en public?

21 T'arrive-t-il souvent de changer d'activités de loisir?

22 Fais-tu de gros efforts pour te faire inviter partout?

23 Préfères-tu rester au second plan pendant les grandes occasions?

24 Si un(e) inconnu(e) te paraît intéressant(e), essaies-tu d'initier la conversation?

25 As-tu tendance à vite oublier les mauvais moments?

J'ai changé?

(1) Maxime parle de lui maintenant et quand il était plus jeune.

A Ecoutez **1–6** sans interruption et dites à chaque fois s'il parle du présent ou du passé.

B Ecoutez à nouveau et notez les verbes qui se rapportent au passé.

Point langue

L'imparfait

▶▶ *pp159–60*

L'imparfait est le temps du passé qu'utilise Maxime pour:

- parler de choses qui se passaient assez régulièrement:
  . . . les profs disaient souvent que j'étais arrogant.
- parler de choses qui avaient une certaine durée:
  . . . pendant qu'il écrivait au tableau. . .
- faire des descriptions (physique/personnalité):
  . . . le prof de chimie m'énervait. . .

Formation – racine du présent avec «nous» + **-ais**, **-ais**, **-ait**, **-ions**, **-iez**, **-aient**.
lire ➡ présent: nous **lis**ons ➡ imparfait: je lisais, tu lisais, il/elle lisait, nous lisions,
vous lisiez, ils/elles lisaient

Seule exception: être – j'étais, tu étais, il/elle était, nous étions, vous étiez, ils/elles étaient

(2) A l'écoute, reconnaître un verbe utilisé à l'imparfait peut être difficile.
Exemple: **je buvais** ◀▦▦▶ **boire**

A Ecoutez les six jeunes qui imaginent comment étaient les trois personnes ci-dessous quand elles étaient lycéennes. Notez les verbes à l'imparfait avec leur infinitif.

B Réécoutez **1–6**. D'après vous, de qui parle-t-on à chaque fois?

C A plusieurs, imaginez comment étaient ces trois personnes – ou d'autres célébrités de votre choix (attitude, habitudes, préférences. . .). Vous pouvez réutiliser des expressions utilisées sur la cassette pour formuler des opinions.

3 **A** D'après vous, avez-vous beaucoup changé depuis votre enfance? Discutez-en à plusieurs, en contrastant le passé et le présent.

B Discutez tous ensemble des questions suivantes:

> *Vous comportez-vous de la même façon avec votre famille, vos profs et vos copains?*

> *D'après vous, y a-t-il des qualités ou des défauts plus typiques d'un sexe que de l'autre?*

4 Imaginez que vous êtes votre propre père/grand-mère/gardien... Vous êtes soit impressionnés, soit choqués par la manière dont votre enfant, c'est-à-dire vous, a changé depuis quelques années. Ecrivez une lettre à ce sujet, en contrastant le passé et le présent.

5 **A** Lisez le dialogue intitulé *Rayon vêtements*, **feuille 2**: plutôt mécanique comme style!

B Ecoutez les trois dialogues enregistrés, basés sur le même scénario, et choisissez le dessin et les adjectifs qui, d'après vous, correspondent le mieux à l'attitude du client.

Techniques de travail

Parler plus
En exploitant ce qu'on connaît au maximum, on peut apprendre à parler plus et plus naturellement, même avec un vocabulaire assez simple.

a   b   c

C Réécoutez les trois dialogues enregistrés en vous concentrant sur la manière de construire la personnalité de chaque client et sur l'attitude changeante de la vendeuse.

D Faites correspondre les expressions utiles de la feuille.

E A deux, choisissez un style et improvisez plusieurs fois à partir du dialogue *Rayon vêtements*, **feuille 2**, en changeant de rôle à chaque fois.

F Faites la même chose avec le dialogue *Sortie de lycée*, **feuille 2**.

Question de look

La voix . . . les yeux . . . le sourire . . . les vêtements . . . les bijoux . . . les chaussures . . . les cheveux . . . les gestes . . . la façon de marcher, de boire, de manger, de fumer . . . tout ça, c'est le look, c'est-à-dire l'apparence.

Le prix . . . la qualité . . . la mode . . . vos goûts personnels . . . les goûts des copains . . . le look est sous influence perpétuelle.

1 Discutez tous ensemble des questions ci-dessous.

– Quel est le look à la mode en ce moment?

– D'après quels critères jugez-vous les garçons ou filles de votre âge que vous rencontrez pour la première fois? Utilisez-vous des critères différents selon le sexe?

– Sur quels critères avez-vous élaboré votre portrait de l'homme de la photo (**p21**)?

– Votre jugement initial sur un individu est-il en général juste ou non?

– Le look est-il plus important pour certaines personnes que d'autres? Pourquoi?

– Quels critères vous influencent dans le choix de vos vêtements?

– Le look d'aujourd'hui va-t-il durer? Que vous inspirent ces deux photos?

 Moi, au premier abord, j'ai tendance à me baser sur. . .

Moi, ce qui m'attire d'abord chez les garçons, c'est. . .

Quand une fille. . . , j'ai tendance à réagir de façon négative.

J'estime que le look est important dans la mesure où. . .

Ce qui m'influence, c'est/ce sont. . .

au premier abord: *in the first instance*
dans la mesure où: *in so far as*
réagir à. . . : *to react to. . .*

2 Six jeunes parlent du look. Etes-vous d'accord avec leur style ou leurs opinions?

tout à fait   assez   pas tellement   pas du tout

3 Etudiez ces expressions (4 minutes) puis utilisez-les de mémoire pour donner votre opinion.

J'admire/je méprise/je préfère/j'évite les garçons/filles. . .

. . . qui portent les vêtements que je n'ai pas les moyens d'acheter.

. . . qui portent des vêtements qui choquent/qui leur vont mal/
que je n'oserais pas porter/que je trouve négligés.

. . . qui s'intéressent beaucoup à leurs vêtements.

. . . qui se maquillent peu/très peu/beaucoup.

. . . qui ont un style vestimentaire personnel.

. . . qu'on voit dans les défilés de mode.

mépriser:	*to despise*
éviter:	*to avoid*
je n'ai pas les moyens de. . . :	*I can't afford to. . .*

Point langue

Pronoms relatifs «qui» et «que/qu'»   ▶▶ *pp151–2*

Who, *whom*, *that* et *which* peuvent se traduire par «qui» ou «que/qu'». Comment décider?

- *I don't like clothes that date quickly.*
  Il n'y a pas de sujet entre *that* et le verbe qui suit (*date*) ➡ utilisez «qui»:
  Je n'aime pas les vêtements qui se démodent vite.

- *He likes clothes that he can wear anywhere.*
  Il y a un sujet entre *that* et le verbe qui suit (*can*) ➡ utilisez «que/qu'»:
  Il aime les vêtements qu'il peut porter n'importe où.

- Le pronom relatif n'est pas toujours obligatoire en anglais, mais il l'est en français:
  The clothes (which) I like are always too expensive.
  Les vêtements que j'aime sont toujours trop chers.
  The girl (whom) you are looking at always wears jeans.
  La fille que tu regardes porte toujours un jean.

La différence entre «qui» et «que/qu'» peut aussi s'expliquer par la référence au sujet ou à l'objet: voir **p139**.

4 Exprimez des opinions sur toutes sortes de gens en faisant des phrases contenant «qui» ou «que/qu'» (voir **activité 3**).
Exemple: **J'admire les politiciens qui font un effort pour bien s'habiller.**

5 Prenez la **feuille 3**: Le look et vous.

A Traduisez **a–j** à l'aide de la section **Tendances**:

a to be in a hurry

b to be concerned with

c the very latest products

d your forte

e self-centred

f to underestimate

g to annoy

h the body

i as regards. . .

j to be inclined towards

B Lisez maintenant tout l'article en ne cherchant pas plus de cinq mots dans le dictionnaire. Choisissez ensuite le commentaire qui vous décrit le mieux dans chaque catégorie.

C Réutilisez ou adaptez certains passages de l'article pour décrire le profil d'un membre de votre classe choisi en secret. Les autres doivent deviner qui c'est.

Techniques de travail

Améliorer son style écrit

Pour un style plus varié, réutilisez du vocabulaire et des structures rencontrées dans vos lectures. Adaptez-les au lieu de recopier des passages complets. *Exemple*:

. . . vous n'avez pas peur d'. . .

. . . en changement perpétuel. . . (**Tendances**)

➡ Mon meilleur copain n'a pas peur de changer perpétuellement de style.

Faites attention quand vous adaptez une structure ou une phrase. Par exemple, faut-il changer le temps des verbes? La terminaison des noms ou des adjectifs? Faut-il conjuguer un infinitif?

D Faites votre profil personnel sur le modèle de la **feuille 3**, mais à la première personne. Ecrivez une ou deux phrases par catégorie.

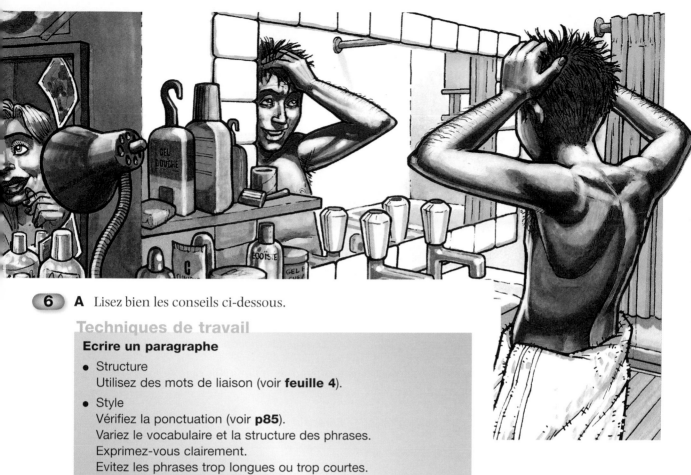

6 **A** Lisez bien les conseils ci-dessous.

B Faites les activités de la **feuille 4** sur les mots de liaison.

7 Avec votre professeur, écrivez tous ensemble
150 mots sur le thème suivant:

Le look, quelle histoire!

Voici comment procéder:

a Vous ne pouvez pas parler de tout en 150 mots: choisissez deux ou trois idées clé.

b Pensez-vous avoir besoin de mots inconnus? Cherchez-les maintenant.

c Dictez votre paragraphe au prof, qui va l'écrire tout en vous conseillant.

d Ecoutez votre prof lire le paragraphe à voix haute, puis entraînez-vous.

e Votre prof va peu à peu cacher de plus en plus de mots. Entraînez-vous à reproduire le paragraphe de mémoire.

f A deux, entraînez-vous à parler sans aide sur le même thème (1–2mn).

● Entre autres choses, vous devriez maintenant savoir:

– acquérir et apprendre du vocabulaire plus facilement
– mieux exprimer vos opinions
– mieux maîtriser l'imparfait
– mieux maîtriser «qui» et «que»
– mieux écrire un paragraphe

Si vous êtes satisfaits de vos progrès, passez immédiatement aux activités ci-dessous.

Sinon, voici quelques suggestions:

– adjectifs sur la personnalité – à deux, appliquez l'**activité 2B p19** à plusieurs personnes de votre connaissance (voir adjectifs **p20**)
– opinions – improvisez à deux à partir des expressions rencontrées (voir 1 et 2B p19; 6 p20; 11 p21; 14A p22).
  Exemple:

Est-ce que tu te trouves autoritaire?

Oui, et je dirais même que je suis quelquefois insupportable!

– la formation de l'imparfait – faites une liste de verbes à l'infinitif, puis écrivez-les au présent avec «nous» et à l'imparfait avec «je».
  Exemple:

| finir | nous finissons | je finissais |

Pratiquez ensuite le plus vite possible en cachant les colonnes 2 et 3.

– «qui» et «que» – faites des phrases à partir des expressions de l'**activité 3 p27**. Rayez ensuite les pronoms relatifs et, plus tard, remettez-les sans aide.
– paragraphes – dans le paragraphe de l'**activité 7 p29**, rayez la terminaison des verbes et adjectifs puis remettez-les de mémoire; remplacez des mots de liaison par des synonymes; changez du vocabulaire en conservant la structure des phrases; ajoutez quelques phrases au milieu ou à la fin. D'autres idées?

A Inventez un dialogue amusant à deux puis pratiquez en le lisant à voix haute. Vous pouvez:

– parler du caractère de quelqu'un que vous connaissez
– critiquer mutuellement votre caractère
– parler du look de quelqu'un que vous connaissez
– parler de vos problèmes de look.

B Ecrivez un paragraphe – sérieux ou amusant – sur un des thèmes suivants:

Bien sûr que j'ai changé!

Trouver un(e) petit(e) ami(e): dur, dur!

Les hommes/les femmes et le look.

Mon look et mes parents.

Familles: évolution ou révolution?

Sujets traités	Points langue	Mieux communiquer	Techniques de travail
Evolution de la famille Relations familiales	Futur Conditionnel présent Impératif Prononciation: sons -tient et -tion	Participer à une conversation Parler des droits et des devoirs Donner des conseils	Apprendre du vocabulaire Familles de mots Prendre des notes à l'écoute Parler à partir de notes

1 Mettez tous en commun des noms et adjectifs souvent associés à la famille (sécurité, autorité. . .).

2 **A** Lisez cet extrait (*Les parents terribles*, Jean Cocteau, 1938) et situez la scène: quel lien existe-t-il, d'après vous, entre Yvonne, Léo et Michel? Décrivez l'atmosphère et la personnalité d'Yvonne et de Léo comme vous les imaginez.

> YVONNE: Léo, où cet enfant a-t-il couché? Comment ne se dit-il pas que je deviens folle? . . . Comment ne me téléphone-t-il pas? Enfin, ce n'est pas difficile de téléphoner. . .
>
> LÉO: Cela dépend. S'il faut mentir, les êtres propres, neufs, maladroits comme Michel, détestent le téléphone.
>
> YVONNE: Pourquoi Mik mentirait-il?
>
> LÉO: De deux choses l'une: Ou bien il n'ose ni rentrer, ni téléphoner. Ou bien il se trouve si bien ailleurs qu'il ne pense ni à l'une ni à l'autre. De toute manière, il cache quelque chose.
>
> YVONNE: Je connais Mik. Tu ne vas pas m'apprendre à le connaître. Oublier de rentrer, il n'en est pas question. Et, s'il n'ose pas prendre le téléphone, c'est peut-être qu'il court un danger mortel. Peut-être qu'il ne peut pas téléphoner.
>
> LÉO: On peut toujours téléphoner. Michel peut et ne veut pas téléphoner.
>
> YVONNE: Depuis ce matin tu es drôle, tu as l'air trop calme. Tu sais quelque chose.

B Improvisez une scène à deux: vous êtes un couple, il est tard et votre enfant n'est pas rentré(e).

Nouvelles familles

 1 Nouvelles familles, nouveau langage

A Traduisez **1–7** en vous aidant des explications enregistrées.

1 un ménage
2 les tâches domestiques
3 une naissance hors mariage
4 une famille recomposée
5 une famille monoparentale
6 la cohabitation
7 une femme au foyer

B Essayez à plusieurs de réexpliquer le vocabulaire ci-dessus.

2 A Notez les facteurs (économiques, sociaux, médicaux. . .) qui, d'après vous, ont beaucoup contribué à l'évolution de la famille depuis 30 ou 40 ans.

B Ecoutez les trois interviews. Cochez les facteurs de votre liste si vous les entendez et ajoutez les autres facteurs mentionnés.

C Réécoutez les interviews **1** et **2** pour trouver des expressions synonymes de celles-ci:

interview 1	interview 2
l'emploi des femmes	moins de tabous sur le sexe
les responsabilités de la famille	au niveau des finances
les devoirs des parents	
sur le plan de l'affection	

Techniques de travail

Familles de mots
L'**activité 2C** utilise: parent – parentaux   famille – familiales

● Pour apprendre plus de vocabulaire – et plus facilement – vous pouvez apprendre plusieurs mots de la même famille (nom, adjectif, verbe. . .):
   enfant – enfantin – enfanter

● Certaines familles de mots ont plusieurs noms, verbes ou adjectifs:
   familial – familier

● Apprenez aussi à reconnaître les préfixes les plus communs:
   commencer–- recommencer
   faire – défaire
   acceptable – inacceptable

● **Attention**: le préfixe **in-** se change en **im-** devant les lettres **-b-**, **-m-** et **-p-**:
   mangeable – immangeable
   buvable – imbuvable

● N'oubliez pas les parallèles entre le français et l'anglais (**activité 3B p20**).

3 Les auteurs des extraits ci-dessous expliquent si, d'après eux, les générations précédentes étaient plus heureuses. En les lisant, relevez un mot de la même famille que les mots suivants (mettez les verbes à l'infinitif).

tromper   tricoter   **fumer**   lire   **se méfier**   solide   **la nostalgie**
réel   nouveau   stable   naître   mourir   une conclusion
nécessaire   interdire   rejeter   estimer

Voir le passé en rose est très trompeur. Les enfants occupés calmement près de la cheminée, la mère tricoteuse, le père fumeur de pipe et lecteur assidu du journal. . . il faut traiter tout cela avec beaucoup de méfiance. On a facilement l'impression que la cellule familiale était plus forte que maintenant, mais à mon avis cette solidarité était essentiellement basée sur des conventions avec, au départ, le père de famille qui régnait en maître absolu.

Ceux qui portent un regard nostalgique sur la famille d'autrefois ont simplement du mal à s'adapter à la réalité. Il est vrai que tout change – et vite – mais ceci n'est pas une nouveauté. Si la famille d'autrefois connaissait une stabilité qui est plus rare de nos jours, c'est simplement parce qu'on vivait dans un univers plus restreint, en restant souvent dans la même ville ou le même village de la naissance à la mort. Et ce qui bien souvent maintenait l'unité de la famille n'était rien d'autre que préjugés et conventions.

Je sais qu'il est facile de conclure que le passé est qualitativement supérieur au présent mais, en ce qui concerne la famille, je pense que c'est tout à fait vrai. Evidemment, on n'arrête pas le progrès, mais le bonheur nécessite au départ une harmonie familiale qui se fait de plus en plus rare. Autrefois, la famille était peut-être basée sur plus de tabous, d'interdits et de conventions qu'aujourd'hui (pas ou peu de divorce, le rejet des mères célibataires. . .), mais au moins elle offrait un facteur d'équilibre inestimable.

4 Et vos grands-parents à vous? Pensez-vous que les familles étaient plus heureuses hier qu'aujourd'hui? Discutez-en tous ensemble (imparfait – voir **p24**) puis faites un résumé écrit en quelques phrases.

Mieux communiquer

Participer à une conversation
Ceci n'est pas un débat formel: essayez simplement de parler le plus possible.

- Osez parler. Vous faites quelques fautes? Normal!
- Encouragez les autres à parler (posez des questions) et évitez de les interrompre.
- Réutilisez les expressions rencontrées dans l'Unité 2 pour exprimer des opinions.
- Donnez des exemples concrets (anecdotes sur le passé de vos grands-parents, leur attitude par rapport au présent. . .)

5 Les années 90 ont fait naître un nouveau phénomène dans les familles françaises.

A Voici un titre d'article: *Jeunes: dans le cocon familial.* Essayez d'en deviner le thème.

B Lisez uniquement le sous-titre de l'article (**feuille 1**). Confirme-t-il vos suppositions? Pensez-vous que le ton de l'article va être plutôt positif ou négatif?

C En 10 minutes, lisez l'article et remettez ces résumés de paragraphes dans l'ordre.

> **a** Loin de créer des problèmes supplémentaires dans les familles, les jeunes qui se voient obligés de vivre plus longtemps chez leurs parents ont en fait de meilleures relations avec eux (bien que certains chômeurs coupent totalement les ponts).
>
> **b** Ce problème est encore plus douloureux dans la mesure où, malgré de longues études, les jeunes diplômés sont souvent obligés d'accepter des emplois de bas niveau pour un salaire très inférieur à celui de leurs parents.
>
> **c** Pour commencer, on constate que les enfants restent dépendants de leurs parents plus longtemps qu'autrefois, par exemple au niveau financier.
>
> **d** Depuis leur naissance, les jeunes Français d'aujourd'hui sont marqués par une situation qui affecte aussi bien leur statut économique que leur statut familial.
>
> **e** Il faut bien comprendre, en effet, qu'avec des salaires de départ aujourd'hui très bas, il n'est plus suffisant de trouver un emploi pour pouvoir se prendre en main.
>
> **f** De plus, on ne quitte plus ses parents du jour au lendemain. Au contraire, on vit entre deux logements ou on revient à certaines époques de l'année, ce qui minimise les problèmes financiers.

D Le phénomène «cocon» existe-t-il actuellement dans votre pays? Si oui, est-ce pour les mêmes raisons? Connaissez-vous des cas particuliers? Discutez-en tous ensemble.

E Pour une étude plus détaillée de l'article, faites l'activité proposée sur la feuille.

6 Comment la famille va-t-elle évoluer? Ecoutez les phrases **1–5** une ou deux fois sans les interrompre et indiquez simplement si elles contiennent les mots ci-dessous.

1 cause créer fera

2 celui intégrer enfant gens l'essence

3 devant commune plus

4 conflits comme faux

5 avez conscient science

7 **A** Réécoutez la dernière phrase (**activité 6**) et faites attention à la manière de prononcer les mots suivants: on utilise le son [sj] et non pas [ʃ].

> discus**sions**   généra**tions**   cons**cient**   pa**tience**   vi**cieux**

B Entraînez-vous à prononcer les mots ci-dessus puis les phrases ci-dessous à l'aide des modèles enregistrés.

> Pourquoi toutes ces discus**sions** entre généra**tions**?
>
> Ce manque de cons**cien**ce profes**sion**nelle me rend sou**cieux**.
>
> Ce cercle vi**cieux** me rend impa**tient**, mon**sieur**.
>
> Cette pas**sion** obses**sion**nelle est sans solu**tion**.

8 **A** Ecoutez l'enregistrement et donnez-lui un titre.

Point langue

Le futur ▶▶ *p156*

- Verbes en **-er/-ir**: infinitif + **-ai, -as, -a, -ons, -ez, -ont**: je finirai, tu finiras…
- Verbes en **-re**: infinitif sans le **-e** final (prendr-) + **-ai, -as**, etc.: je prendrai, tu prendras…
- Verbes irréguliers:

aller	(j'irai…)	envoyer	(j'enverrai…)	recevoir	(je recevrai…)
avoir	(j'aurai…)	être	(je serai…)	savoir	(je saurai…)
courir	(je courrai…)	faire	(je ferai…)	venir	(je viendrai…)
devoir	(je devrai…)	pouvoir	(je pourrai…)	voir	(je verrai…)

- devenir/revenir ◀▶ venir
  revoir ◀▶ voir
  renvoyer ◀▶ envoyer
  défaire ◀▶ faire

- acheter (= compléter): accents ▶ j'achèterai…
  jeter: **-tt-** ▶ je jetterai…
  appeler (= se rappeler): **-ll** ▶ j'appellerai…
  Verbes en **-ayer/-oyer/-uyer** (payer, employer, appuyer): je payerai… ou je paierai…

- «Quand» + idée de futur: notez la différence entre l'anglais et le français:
  I'll have children when I am 30. – J'aurai des enfants quand j'aurai 30 ans.

B Réécoutez l'enregistrement et notez les verbes au futur.

C En quelques phrases, résumez l'enregistrement sans le réécouter, à l'aide des notes ci-dessous. Variez les verbes (pas toujours «être»!) et utilisez essentiellement le futur. Commencez ainsi: **D'après l'interlocutrice**, …

- Mariage – retrouver popularité? Non: rejet plus prononcé, mais couple plus solide.
- Cause: réaction au taux de divorce actuel.
- Nouveaux contrats ◀▶ bien-être des enfants
- Famille plus solide/large/unie – rôle des grands-parents, etc.

Pour plus de pratique sur le futur, passez à la **feuille 2**.

9 Vous avez huit minutes pour écouter la conversation (environ trois minutes) et prendre des notes sur les mesures que prendra peut-être le gouvernement au sujet de la famille. N'écrivez pas de phrases complètes.

Techniques de travail

Prendre des notes à l'écoute

Méthode suggérée – notez les thèmes principaux à gauche pendant une première écoute ininterrompue, puis notez des détails à droite pendant la deuxième écoute.

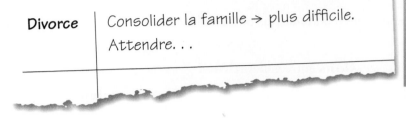

| Divorce | Consolider la famille → plus difficile. Attendre... |

- Attention aux mots de liaison (D'un autre côté... / C'est vrai, parce que...) qui peuvent vous aider à anticiper ce qui va suivre: idée opposée, justification, etc.

10 Inspirez-vous des activités précédentes, des données et photos (**p37**) et de votre intuition pour préparer un exposé de deux minutes sur le thème suivant.

D'après vous, comment va évoluer la famille dans les 20 ou 30 années à venir?

Techniques de travail

Parler à partir de notes

- Choisissez les quelques thèmes dont vous allez parler (naissances? relations parents-enfants?...). Basez-vous sur vos lectures et votre réflexion. Vous pouvez aussi en discuter à plusieurs.

- A l'aide d'une lecture et d'une réflexion plus détaillées, notez brièvement les points que vous voulez mentionner sur chaque thème. Cherchez du vocabulaire, mais pas trop: utilisez ce que vous connaissez déjà au maximum.

- Ordonnez les thèmes et les points à mentionner, toujours sous forme de notes.

- Révisez les expressions utiles pour donner des opinions (voir **Unité 2**).

- Pratiquez oralement plusieurs fois, en improvisant à l'aide de vos notes. Utilisez des mots de liaison, faites une petite pause entre chaque thème, parlez de manière expressive et ne gardez pas les yeux uniquement sur vos notes.

	Taille des ménages 1991	Ménages une personne % 1991	Familles sans enfant % 1991	Familles 3 enfants ou plus % 1991	Famille importante? % 1993	Mariages/ 1 000 habitants 1993	Familles mono-parentales % 1993	Divorces/ 1 000 habitants 1993
France	2,6	27	44	6	94	4,4	10,4	2,0
Irlande	3,3	20	19	34	97	4,4	15,0	0,0
R.-Uni	2,5	26	39	11	97	3,9	8,5	2,5

Francoscopie 97 pp24–5

mariages ↓
divorces ↑
enfants ↓
personnes seules ↑
familles monoparentales ↑

Le mariage en France

– hommes: 29 ans – femmes: 27 ans
– un des pays européens où l'on se marie le moins
– un des pays européens où l'on se marie le plus tard
– XXᵉ siècle: taux de mariage le plus bas en 1993
– taux variable selon la croissance économique
– taux variable selon les avantages financiers
– taux de divorce multiplié par quatre depuis 1960
– divorce: enfants de plus en plus souvent chez le père
– 11% de mariages mixtes ou étrangers en 1994
– les divorcés se remarient de moins en moins

Les ménages français

– 1983: 2,6 personnes – 1993: 2,4 personnes (supérieur à la moyenne européenne)
– 6% de familles de trois enfants
– une seule personne dans plus de 25% des ménages
– 16% de familles monoparentales (20% au R.-Uni)
– sexes: moins d'égalité que dans le nord de l'Europe
– homosexualité mieux acceptée
– tâches domestiques: progrès minime chez les hommes
– décisions: plus d'égalité hommes-femmes
– finances: 50% des ménages reçoivent deux salaires

11 Inspirez-vous des thèmes abordés pour écrire un paragraphe ou deux sur le thème suivant:

Comment vous imaginez-vous dans dix ans?

On ne choisit pas sa famille...

1 Les relations familiales évoluent avec l'âge des «protagonistes». Quelle idée de la famille cherche à donner chacune de ces photos? Ces deux photos vous semblent-elles refléter une certaine réalité? Plus jeune, étiez-vous le genre d'enfant représenté dans la première photo? Vous arrive-t-il de vous comporter comme l'adolescent de la seconde photo?

2 Les expressions ci-dessous sont souvent utilisées dans le contexte de la famille.

A Vous avez cinq minutes pour les classer par expressions positives et négatives à l'aide d'un dictionnaire.

Un compromis   L'entente   Epier quelqu'un

La confiance   L'harmonie   Les tabous   Les interdits

La chaleur humaine   Les préjugés   Etre à l'écoute de quelqu'un

Un conflit de générations   Une engueulade   Une revendication

Bouder   Le dialogue   Le mur du silence
Les conventions
La concertation

B Essayez de retrouver les expressions positives et négatives de mémoire. En connaissez-vous d'autres?

3 **A** Lisez les paroles de la chanson (**feuille 3**). L'interprète, Jacques Dutronc, a été l'un des premiers chanteurs de la génération yé-yé des années 60.

   a Qui parle dans la chanson? Et à qui parle-t-on?

   b D'après vous, J. Dutronc compatit avec qui?

   c J. Dutronc traite-t-il du thème de façon sérieuse ou humoristique?

   d D'après vous, quel genre de rythme a la chanson?

B Ecoutez la chanson tout en suivant les paroles.

C Réécoutez la chanson sans support et suivez les instructions de votre professeur.

Point langue

L'impératif – pour donner des ordres
▶▶ *p162*

- **Formation** – présent avec «tu/nous/vous»:
  Bois *Drink* (⟸⟹ tu)
  Buvons *Let's drink* (⟸⟹ nous)
  Buvez *Drink* (⟸⟹ vous)

- **Exception** – les verbes en **-er** perdent le **-s** de la 2ᵉ personne du singulier:
  Tu manges *You eat*
  Mange *Eat*

- **Négatif:** Ne mangez pas, Mangez pas (familier)

- **Verbes irréguliers:**

aller	avoir	être
Va (⟸⟹ tu)	Aie – Ayons – Ayez	Sois – Soyons – Soyez
Va au lit!	Ayez du courage.	Sois poli!

- **Verbes pronominaux** (se laver, etc.) – utilisez les pronoms «moi/nous/vous»:
  Brosse-toi les dents!
  Lavons-nous!
  Couchez-vous!

- **Phrases usuelles:**
  Allez *Go on* (⟸⟹ tu/vous)
  Allez, bois un coup! *Go on, have a drink!*
  (Ne) t'en fais pas / (Ne) vous en faites pas *Don't worry*

- **Recettes et notices** (médicaments, etc.) – infinitif au lieu de l'impératif:
  Couper le poulet en morceaux.
  Prendre une cuillerée matin et soir.
  Ne pas marcher sur les pelouses.

D Relevez tous les verbes à l'impératif de la chanson.

4 La chanson de Jacques Dutronc s'adresse à des enfants. Sur le modèle de la chanson, écrivez à plusieurs au moins deux couplets. Adressez-les au choix:
– à des jeunes de votre âge
– à des parents.
Ne vous préoccupez pas trop des rimes.

Ne sors pas, fais tes devoirs,
Ta grand-mère vient ce soir…

Achetez-moi une moto,
J'en ai marre du vélo…

5 **A** Complétez chacune de ces trois phrases par écrit avec un maximum de commentaires.

Exemple: **Grâce à mes parents,**
     . . . je pourrai continuer mes études.
     . . . mes frères et moi pouvons . . .

a **Grâce à mes parents, . . .**

b **A cause de mes parents, . . .**

c **Malgré mes parents, . . .**

B Lisez les phrases écrites par un ou deux autres membres de votre classe:

– Qui vous semble avoir le plus de chance?

– Qui vous semble rencontrer le plus de difficultés?

– Qui vous semble être le/la plus rebelle?

6 A plusieurs, discutez de chacun de ces deux thèmes pendant quelques minutes.

le fait que . . .

les fois où . . .

Qu'est-ce que vos parents critiquent le plus dans vos actions, vos idées et votre attitude?

Que critiquez-vous le plus chez vos parents?

7 Jeunesse = liberté? Pas toujours. Pourtant, si vous osiez. . . Que feriez-vous? Que diriez-vous à vos parents, voisins, etc.? Que demanderiez-vous à vos amis, vos profs, etc.? Réfléchissez quelques minutes puis dites des phrases à tour de rôle.

Exemples: **Si j'osais,**
     . . . je dirais à mes parents de me laisser voyager seul(e).
     . . . je demanderais à mes voisins de déménager.
     . . . je demanderais plus d'argent à mes grands-parents.
     . . . je demanderais à mes parents d'être plus tolérants.

Autres verbes utiles:
interdire à. . . de + infinitif
ordonner à. . . de + infinitif

Point langue

Le conditionnel ▶▶ *p157*

Usage: Je **dirais** à mes parents. . . *I **would tell** my parents. . .*

Formation et verbes irréguliers: comme au futur (voir **p35**), mais avec les terminaisons de l'imparfait: **-ais, -ais, -ait, -ions, -iez, -aient**

«Si. . .» – Regardez bien le temps des verbes:
Si **j'osais**, je **dirais** à mes parents de me laisser voyager.
    imp.   cond.

Notez bien:

● *There would be . . .* Il y aurait . . .

● *Should* est le conditionnel de *must* ➡ Utilisez «devoir» au conditionnel:
I should have more autonomy. Je devrais avoir plus d'autonomie.

● *Could* est le conditionnel de *can* ➡ Utilisez «pouvoir» au conditionnel:
I could talk to my parents. Je pourrais parler à mes parents.

8 Les parents disent souvent que les jeunes demandent trop de liberté. Pourtant, c'est parfois le contraire.

A sa/leur place
If I were him/them

Peut-être qu'il pourrait
Maybe he could

Il faudrait + infinitif
One should...

A Lisez la lettre ci-dessous, qui a été publiée dans un magazine. Ecoutez ensuite les suggestions enregistrées pour vous donner des idées, puis discutez du problème à plusieurs.

Exemple:

> Si j'étais le père, je... (+ conditionnel)

B Seuls ou à deux, écrivez une réponse à la lettre en donnant des conseils et des explications possibles.

> **N**otre fils refuse de s'émanciper. Il préfère rester à la maison. Toujours avec nous, c'est très pesant. Après tout, il a quand même 15 ans! En vacances, il n'est jamais parti sans nous. Ni avec des copains, ni même avec d'autres adultes. Il a vaguement mentionné l'idée d'aller en colonie de vacances une ou deux fois, mais il n'a pas insisté. Moi, je trouve que ce serait une bonne chose, parce que j'ai de très bons souvenirs de mes propres colos. Ma femme, elle, n'est pas favorable: elle a peur qu'il soit malheureux, elle redoute l'effet de séparation. Elle me parle de vols, de meurtres. Même en dehors des vacances, notre fils ne cherche pas à créer des liens avec les jeunes du lycée ou du quartier. Il n'est même pas très enthousiaste pour partir en voyages scolaires. C'est comme une indifférence.
>
> **Bernard, Grenoble**

9 **Sujets à controverse**

– Vous avez besoin d'un seul jeu de cartes pour toute la classe (**feuille 4**).

– A tour de rôle, tirez une carte au hasard, lisez-la à haute voix et donnez votre réaction. Une phrase suffit.

Exemple:

> **On devrait décourager les familles monoparentales.**

> *«On devrait décourager les familles monoparentales.» Déjà, je pense que ce serait impossible, mais je pense aussi que c'est un phénomène mieux accepté maintenant.*

– Après avoir écouté, les autres doivent montrer par le geste – de zéro à cinq doigts – s'ils sont d'accord ou pas avec la réaction exprimée.

pas du tout d'accord

moyennement d'accord

tout à fait d'accord

– La personne qui a tiré la carte choisit alors une personne – peut-être quelqu'un qui n'était pas du tout d'accord – pour exprimer une opinion sur le même sujet.

● Entre autres choses, vous devriez maintenant savoir mieux:

   – exprimer vos opinions sur la famille
   – utiliser le futur et le conditionnel
   – donner des ordres et des conseils
   – prendre des notes à l'écoute pour parler ensuite
   – participer à une conversation

Si vous êtes satisfaits de vos progrès, passez immédiatement aux activités ci-dessous.

Sinon, voici quelques suggestions:

– futur et conditionnel – exemples:
   Bonnes résolutions - J'essaierai de ranger ma chambre plus souvent.
   Si. . . – Si j'étais plus patiente, je me disputerais moins avec mes parents.

– impératif – donnez dix conseils à un(e) ami(e) qui rend la vie de ses parents impossible.

– prendre des notes à l'écoute – une personne donne une réaction à une des cartes de la **feuille 4**. Les autres la résument sous forme de notes et comparent leurs notes, qui doivent être à la fois brèves mais détaillées. Après six à huit réactions, recomposez les phrases à partir de vos notes.

A Ecrivez une «Lettre ouverte aux parents d'aujourd'hui». Mettez-y des critiques, des conseils, des souhaits. . .

B Quelles idées vous inspire cette bande dessinée en ce qui concerne la famille? Préparez-vous à parler seuls une à deux minutes ou à en discuter à plusieurs.

La France par l'info

Sujets traités	Points langue	Mieux communiquer	Techniques de travail
Tourisme et voyages **Contrôler les enfants** **Santé économique**	**Passé composé** **Infinitif passé** **Prononciation:** l'accent tonique	**Nombres et statistiques (suite)** **Exploiter une ressource visuelle (diagramme, etc.)**	**Mots de liaison** **Synonymes (lecture/écoute)** **Prendre des notes** **Formation des mots** **Lire plus vite** **Résumer en anglais**

Infos tourisme et voyages

Cette unité s'inspire d'informations variées datant de l'été 1997. L'un des objectifs est de vous habituer au style journalistique.

1

A Vérifiez (à deux? avec le dictionnaire?) que vous comprenez ces mots:

> **le monde   un étranger   la concurrence   un chiffre   accueillir**
> **un Néerlandais   un manque   longtemps**

B Vérifiez où se trouvent les régions ci-dessous (question **f**).

C Ecoutez l'information sur le tourisme en France et choisissez ou complétez les données ci-dessous. Comparez ensuite vos réponses à plusieurs.
*Exemple: La réponse **a**, d'après toi, c'est quoi?*

a Année: _____

b France – 1e destination touristique:
1   en Europe
2   dans le monde.

c Nombre de touristes étrangers: _____

d Destination touristique – Espagne:
1   inférieure à la France
2   à égalité.

e Apprécié des Britanniques (un exemple): _____

f Régions visitées par les Britanniques:
1   Région parisienne – _____%
2   Midi-Pyrénées/Languedoc–Roussillon – _____%
3   Bretagne/Normandie – _____%
4   Provence–Alpes-Côte d'Azur – _____%.

g Séjours plus longs:
1 Britanniques
2 Allemands.

Mieux communiquer

Chiffres et statistiques
- Réutilisez des expressions de l'**activité 5A p14** (On constate que. . . , etc.)
- Entraînez-vous à dire des nombres sans hésiter.
Exemples: répétez des nombres après votre prof, inventez des séries de nombres et entraînez-vous à deux.

2 Improvisez oralement des phrases complètes pour décrire les données ci-dessus.
Exemple: **En . . . , la France a été la première destination touristique . . .**

1

Le tourisme et l'hôtellerie, avec plus de 300 000 saisonniers sur la France, sont les premiers employeurs des «STF» – sans travail fixe – pendant les deux mois d'été. Les régions concernées se situent le plus souvent en bord de mer. C'est ainsi que, pour deux permanents, on trouve un saisonnier sur la Côte d'Azur.
(. . .) Mais la Bretagne et la côte aquitaine ne sont pas en reste. Chacune crée plus de 20 000 emplois d'été, notamment dans les centres de vacances, les petits commerces ou sur les plages.
(. . .) Il y a cinq ou six ans les plus malins gagnaient bien leur vie en tournant autour de 15 000 F par mois. Aujourd'hui, très rares sont ceux qui y parviennent, le contexte économique a changé.

2

Pour ce jeune médecin établi depuis peu à Saint-Raphaël (Var), pas question de prendre des vacances cet été: «Ce serait un peu bête, c'est là que les gens ont le plus besoin de nous».
(. . .) «Les médecins installés depuis longtemps peuvent se permettre de refuser du monde, voire de partir en vacances. Certains prennent deux semaines! Moi, je ne peux pas me le permettre.» D'autant qu'une bonne saison peut rapporter énormément: «Je connais des médecins qui se font 20 000F de plus par mois. Celui dont j'ai repris le cabinet tirait un tiers de son revenu de l'été. Moi, je devrais arriver à 10 000F de plus. Mais il faut savoir aussi qu'on a davantage de frais: les interventions estivales nous coûtent plus cher en matériel.»

3 Vous avez 4 minutes maximum pour répondre à ces questions, à l'aide des articles ci-dessus sur les emplois saisonniers.
Quel article (**1**, **2**, **3** ou **4** . . . ou plusieurs) . . .

a mentionne un pourcentage?

b mentionne une somme d'argent? (3 articles)

c mentionne la somme d'argent la plus élevée?

d parle de se coucher très tard?

e mentionne un nombre d'emplois?

f mentionne des dates précises?

g mentionne un nombre de personnes qui mangent?

h résume l'essentiel sur les emplois saisonniers?

i parle de médecine?

j parle de nourriture?

4 **A** Reprenez les questions **a–g** de l'**activité 3** et préparez quelques notes pour résumer l'information (pourcentages, nombres, dates, idées essentielles).
Exemple: **a – 50% hôtels (côte) ouverts seulement été.**

B Ecoutez les commentaires **1–8** et comparez-les avec vos notes: sont-ils vrais ou faux?

Techniques de travail

Lecture
Même si une lecture détaillée est ensuite nécessaire, guidez-vous d'abord en repérant par exemple les nombres (dates, prix, pourcentages. . .) ou les noms propres (pays, villes, individus. . .).

Techniques de travail

Prendre des notes
● Articles, prépositions et autres petits mots sont rarement nécessaires.
● Notez des mots qui vous aident ensuite à reconstituer facilement des phrases.
● Ne vous préoccupez pas trop de l'orthographe en prenant vos notes.

3

Entre 20 et 25 ans: c'est l'âge du saisonnier. Ce chiffre a sensiblement diminué depuis une quinzaine d'années.

Un peu moins de 11 000 F: c'est la rémunération moyenne de l'employé saisonnier. Celle-ci ne doit jamais descendre en-dessous du Smic (soit 6 660 F brut par mois) pour ceux qui ont plus de 18 ans.

Type de contrat: un CDD (contrat à durée déterminée) de saisonnier.

Plus de 50% des entreprises hôtelières situées dans les stations balnéaires n'ouvrent que les mois d'été.

Les régions les plus créatrices d'emplois saisonniers sont l'Ile-de-France, la Bretagne, la Provence-Alpes-Côte d'Azur et l'Aquitaine.

4

Chaque été depuis cinq ans, du 15 juin au 15 septembre, Sylvie et Serge Destriez travaillent comme des fous.

Leur job ne dure que trois mois, mais ils n'arrêtent pas: près de vingt heures par jour, sept jours sur sept, ils vendent sandwichs, gaufres et crêpes aux vacanciers du bassin d'Arcachon (Gironde).

«On ne ferme pas avant 2 ou 3 heures du matin, voire plus, et on rouvre le lendemain dès 9 heures!» précise Sylvie, 43 ans, qui a pourtant l'air en pleine forme.

(. . .) Au plus fort de la saison, «quand ça tourne bien», plus de 500 gourmands viennent chaque jour se caler l'estomac entre deux baignades. De quoi assurer «environ un quart» des revenus annuels du couple, confie Sylvie.

---

5 A Pour chacun des mots – tous extraits des articles – présentez un mot ou plus de la même famille, comme dans l'exemple. Essayez d'abord sans dictionnaire.

Exemple: **saisonnier** *adj*: seasonal ↔ **saison** *nf*: season

> **saisonnier**   **employeur**   **économique**   **annuel**
> **installer**   **permettre**   **énormément**
> **intervention**   **diminuer**   **créateur**
> **arrêter**   **vacancier**   **lendemain**   **baignade**

Techniques de travail

Formation des mots
Identifier la racine *root* et le suffixe d'un mot nouveau (saison*nier*) peut aider à le comprendre. Les préfixes aussi peuvent modifier le sens d'un mot:
commencer ➜ recommencer
faire ➜ défaire
changé ➜ inchangé.

B Pour acquérir plus de vocabulaire, répétez cet exercice à partir d'un texte de votre choix (**Unités 1–3**) ou de vos listes de vocabulaire.

6 A L'accent tonique de ces mots (articles **1** et **2**) est différent de l'anglais. Ecoutez:

> **tourisme**   **refuser**   **régions**   **arriver**
> **permanents**   **certains**   **économique**
> **matériel**   **saison**   **interventions**

Techniques de travail

Intonation
En anglais, il n'existe pas de règle absolue: *re*gion; *ma*terial; inter*ven*tion.
En français, l'accent tonique porte sur le dernier son.
région, matériel, intervention.

B Dites ces mots et vérifiez à chaque fois leur accent tonique avec la cassette:

> **des informations**   **un pourcentage**
> **un article**   **parisien**   **une destination**
> **supérieur**   **comparer**
> **un préfixe**   **mentionner**   **l'intonation**

C Cherchez d'autres mots du même genre dans les articles **3** et **4** ou dans vos listes de vocabulaire et entraînez-vous à bien placer l'accent tonique. Pour plus de pratique, passez aux **feuilles 1** et **2**.

Infos jeunes: couvre-feu

1 **A** Pour vous préparer à la lecture, faites correspondre **a–h** et les synonymes **1–8** (3 minutes).

a un arrêté	**1** un commissariat
b une commune	**2** une ville ou un village
c un couvre-feu	**3** des élus locaux
d un hôtel de police	**4** de 18 ans ou plus
e un maire	**5** le responsable d'une ville ou d'un village
f majeur	**6** une interdiction de sortir le soir
g une municipalité	**7** le manque d'emplois
h le chômage	**8** une décision administrative

B En cinq minutes, regardez **1–8** (**p47**) et trouvez quels extraits se concentrent sur. . .

a . . . la loi officielle (1 extrait)

b . . . les mesures prises par certaines villes (3)

c . . . des raisons à ces mesures (2)

d . . . des réactions positives (1)

e . . . des réactions négatives (1).

2 A l'aide du contexte, trouvez à la **p47** des synonymes aux mots ci-dessous.

Extrait 4 – seuls – pensent – cependant – façon – combattre.

Extrait 6 – condamne – explique – similaires – chez eux.

Extrait 7 – une propagande – est le rôle – déséquilibrées – à l'extérieur – sérieux – un manque d'affection – Résoudre.

> **Techniques de travail**
>
> **Vocabulaire**
> Dans les examens, les questions utilisent souvent des mots différents des textes. Apprenez donc à reconnaître les synonymes.

3 Lisez **1–8** (**p47**) plus en détail pour répondre brièvement à ces questions.

a Quels sont les deux âges limites mentionnés au sujet du couvre-feu?

b Combien de municipalités ont maintenant opté pour le couvre-feu?

c Nommez trois causes possibles à l'origine de l'idée du couvre-feu.

d Quand on arrêtera des enfants, où seront-ils conduits? (Mentionnez deux possibilités.)

e L'attitude de la population reflète-t-elle l'attitude du gouvernement?

f Le gouvernement semble-t-il d'accord avec les maires favorables au couvre-feu?

g D'après la loi, qui est responsable des mineurs?

> **Techniques de travail**
>
> Les réponses à l'**activité 1** peuvent vous guider.

4 Pour chaque mot **a–j**, écrivez le synonyme que vous entendez dans les opinions enregistrées sur le couvre-feu.

Passage 1		Passage 2	
a chaque année	**d** aux racines	**f** je préférerais	**i** une décision
b je pense que	**e** la solution	**g** puisque	**j** des secteurs
c idée		**h** me paraît	

1

L'arrêté de Jean-Pierre Hurtiger, maire de Gien (Divers droite), est parvenu hier matin à la sous-préfecture de Montargis.

Le texte municipal, daté du 18 juillet, ordonne l'interpellation par la force publique de tout enfant âgé de moins de 12 ans *«circulant de minuit à 6 heures non accompagné d'une personne majeure ou ayant autorité sur le mineur»* dans les rues de Gien. Il est prévu que le jeune *«errant»* soit reconduit au domicile pour être remis à ses parents (lire nos éditions des 19 et 21 juillet).

2

Mais pourquoi le maire RPR de Gien, Jean-Pierre Hurtiger, a-t-il décrété le couvre-feu pour les moins de 12 ans, dans cette paisible commune de 16 700 habitants située sur les bords de la Loire? C'est qu'il y a deux Gien: le centre-ville, historique et bourgeois, et les hauts de Gien, où ont été construites, trop vite, trois cités réputées «quartiers chauds». L'arrêté municipal (. . .) vise en fait ces cités. Avec le danger de faire, une fois de plus, l'amalgame entre chômage, délinquance et immigration.

3

«. . . il n'est pas normal que les moins de 12 ans traînent dans la rue. Il faut retrouver le chemin du foyer, redonner un peu de noblesse à la famille, premier repère de l'enfant. Car aujourd'hui, il y a des dangers dehors, la drogue, la violence, le sida.»

Maire de la région de Gien.

4

Une large majorité de Français (81%) *«approuve plutôt»* la décision de certaines communes d'interdire aux enfants non accompagnés circuler dans les rues après minuit, selon un sondage de l'IFOP publié dans *Le journal du dimanche* du 27 juillet: 92% estiment pourtant que c'est aux parents et non à leur municipalité à veiller à ce que les enfants ne circulent pas seuls la nuit dans la rue. Pour 76%, cette décision est plutôt un bon moyen de lutter contre la délinquance des jeunes.

5

Extrait du code civil - [L'enfant] reste sous l'autorité [de ses parents] jusqu'à sa majorité ou son émancipation. L'autorité appartient aux père et mère pour protéger l'enfant dans sa sécurité, sa santé et sa moralité.

«Les enfants ne sont pas des chiens. Quelques maires cherchent à se faire une publicité sécuritaire à bon compte, mais la responsabilité des enfants de cet âge incombe aux parents.» Ministre délégué à l'enseignement scolaire.

«On ne répond pas à un problème social par des arrêtés qui visent à culpabiliser des familles déjà déstabilisées.» Ministre de la Jeunesse et des Sports.

«Derrière la présence d'enfants dehors la nuit (. . .), il y a des problèmes lourds: un environnement familial en difficulté, une déshéritance affective, des échecs scolaires, et, pire encore, des problèmes à se situer dans la société. Traiter de ces situations complexes par une mesure simpliste est indigne d'élus.» Ministre de la Ville.

6

L'arrêté, pris par Gérard Hamel, le député-maire RPR de Dreux, demandant à la police d'intercepter les mineurs de moins de 12 ans circulant seuls la nuit, nourrit la polémique: trois maires lui ont emboîté le pas alors qu'au gouvernement on dénonce une *«publicité sécuritaire à bon compte»*.

L'arrêté municipal provisoire, pris par M.Hamel le 7 juillet, stipule que les enfants seront conduits à l'hôtel de police pour y être remis à leurs parents. En une douzaine de jours, trois maires ont d'hors et déjà pris des arrêtés semblables, avec des variantes.

Ainsi à Sorgues (Vaucluse) et Gien (Loiret), les enfants seront reconduits directement à leur domicile, tandis qu'à Aulnay-sous-bois (Seine-Saint-Denis) sont concernés les enfants de moins de 13 ans et non de 12 ans.

8

La nouveauté de la saison consiste à interdire de ville, entre 0 et 6 heures, les enfants non accompagnés de moins de 13 ou 12 ans. Et de les raccompagner, au choix, au commissariat local ou chez leurs «mauvais» parents (. . .) Et qui est vraiment visé? Les enfants méchants, les parents négligents ou les familles immigrées. . .?

5 Quel est le meilleur résumé sur l'affaire du couvre-feu? Discutez-en à plusieurs.

« Ce résumé . . .   **mentionne. . .**   **insiste trop sur. . .**

ne fait pas (assez) illusion à. . .   **manque d'équilibre parce que. . .**

donne trop de détails surs. . .   **est trop vague en ce qui concerne. . .**

présente bien. . .   **n'explique pas. . . assez clairement. »**

a

Several French towns have decided to impose a curfew to stop children from wandering outdoors at night. There are many reasons for the problem and the reactions to the curfew have also been varied, both positive or negative. The mayor of Gien, for instance, wants to impose a curfew because of the social gap between the town centre – historic and bourgeois – and the hurriedly-built, ghettoised suburbs.

b

Six French towns are planning to impose a curfew on youngsters up to the ages of 12 or 13. If any such children are found unaccompanied in the streets after midnight the police will escort them home or to the police station. Dangers on the street such as drugs and violence appear to have triggered the curfew idea. The aim is to make parents face up to their responsibilities, sometimes neglected for reasons such as family breakdown, poverty and poor living conditions.

c

Six French towns want to impose a curfew on unaccompanied youngsters up to the ages of 12 or 13 who are found in the streets after midnight. Although the locals seem to be in favour of the project the government seems to be against what it perceives as a repressive measure. Of course the streets are not free of dangers such as drugs and violence. However, instead of condemning and punishing people, one ought to address the roots of the problem, such as family breakdown due to economic pressures.

d

The reactions to the curfew are varied. An opinion poll shows that most of the population are in favour but consider that controlling children is the parents' responsibility. On the other hand, several government ministers have voiced their opposition to the curfew. They acknowledge that there are dangers on the streets such as drugs and violence, but consider that a curfew is a repressive measure which fails to tackle the roots of the problem such as family breakdown stemming from financial hardship.

6 Suivez ce plan pour résumer l'article (**p49**) en anglais (100–120 mots):

- Question raised in the introduction
- Situation in Orléans
- Conclusion
- Attitude of the police
- Mayor's opinion.

Techniques de travail

Résumés
Mentionnez uniquement l'essentiel, clairement et dans un ordre logique. Evitez les exemples et les répétitions. Utilisez des mots de liaison (*although*, *but*. . .).

7 Transcrivez le résumé enregistré de l'article (**p49**). Attention aux accents, au genre (*m/f*) et au nombre (*sg/pl*) des noms et adjectifs et à la terminaison des verbes. Comparez et discutez à plusieurs. *La décision de certains. . .*

8 Au choix:
- Ecrivez à un journal pour donner votre opinion sur le projet de couvre-feu.
- A plusieurs, faites un sondage de rue sur le projet de couvre-feu. Ne préparez pas trop.

Les gamins ne sont pas à la rue

Bien qu'en cette période estivale, la chaleur chasse de nombreux enfants des appartements, un proche assure toujours leur surveillance. Récit d'un tour de ville, durant la nuit de mercredi à jeudi.

LES arrêtés municipaux contre l'errance des enfants, entre minuit et six heures du matin, semblent faire tache d'huile en France. Aucun des maires concernés n'a encore apporté la preuve que sa décision correspond à une réalité. Cela ne veut pas dire que le phénomène n'existe pas.

Dans la nuit de mercredi à jeudi, un tour de la ville nous a permis de constater que jusqu'à 23h30, de nombreux jeunes enfants sont encore au pied de leurs immeubles. Rue Pierre-Chevalier aux Blossières, allées Adélaïde-de-Savoie et Camille-Flammarion à la Source, place Mozart à l'Argonne, ou encore aux Murlins, les familles sont restées très tard à veiller. Mais il y avait toujours un grand-frère, un père ou une mère pas loin des enfants.

Mais vers deux heures du matin, sur les mêmes lieux, il ne restait plus que des groupes d'adolescents au pied des tours, à discuter et à rire de leurs propres plaisanteries.

Ceci pour dire qu'à Orléans, le phénomène d'errance nocturne des jeunes enfants existe aussi. Comme d'autres villes de France, la cité johannique n'échappe pas à une tendance qu'Adil Jazouly, le directeur de Banlieuscopie, l'observatoire des banlieues, a déjà montré du doigt il y a environ trois ans, lors d'un passage à Orléans: «*Ils sont de plus en plus jeunes à investir les espaces publics et privés, à un moment où ils devraient être couchés depuis longtemps. C'est une des explications au rajeunissement spectaculaire de la délinquance.*» Cet avertissement date maintenant de trois ans et apparemment, il n'a pas été entendu. Ou bien certains n'ont pas voulu l'entendre.

«Chômage et échec scolaire»

Nier aujourd'hui la présence d'enfants très jeunes dans les rues à des heures indues, c'est s'exposer à des graves désillusions. Les professionnels de la sécurité publique, notamment les policiers qui sillonnent le terrain, l'ont constaté. Un policier du commissariat d'Orléans indique: «*Au cours des patrouilles nocturnes, il n'est pas rare de voir de très jeunes enfants au pied de leurs immeubles après minuit. Pour nous, ce n'est pas une surprise de les voir là dans leur milieu habituel. Ce qui serait plus grave, c'est de les trouver loin de chez eux, dans un hall de gare ou au bord d'une nationale. Là, nous intervenons pour les contrôler et les ramener chez eux. Mais en règle générale, il n'est pas de notre rôle de jouer à la police des familles.*»

De son côté, Jean-Pierre Sueur, le maire d'Orléans, reconnaît que «*la petite délinquance est un vrai problème. Mais il n'est pas bon de faire de la démagogie sur le dos des familles destructurées. Le vrai courage est d'affronter les problèmes qui se posent dans les secteurs HLM de notre ville*». Khalid, un jeune de 17 ans, rencontré la nuit à l'Argonne, ne dit pas autre chose lorsqu'il déclare: «*Ici, il y a des problèmes de chômage et d'échec scolaire. C'est à ce niveau qu'il faut aider les jeunes au lieu de les «courser» comme des chiens*». . .

Hamoudi FELLAH

gamin, -e (m/f):	*child*	lieu (m):	*place*
surveiller:	*to look after*	plaisanterie (f):	*joke*
errer:	*to wander*	nocturne:	*by night*
faire tache d'huile:	*to spread*	avertir:	*to warn*
constater:	*to notice*		

Infos économiques

1 Regroupez ces mots par groupes de 2 ou 3 synonymes. Comparez à deux avant de vérifier dans le dictionnaire si nécessaire.

> diminuer　　　aggravation　　　situation　　　salarié　　　s'accroître
>
> en comparaison avec　　　statistiques　　　hausse　　　amélioration
>
> calculs　　　demandeur d'emploi　　　être en hausse　　　employé
>
> par rapport à　　　décroître　　　chômeur　　　conjoncture
>
> pourcentages　　　augmenter　　　dégradation
>
> croissance　　　être en baisse

2 Concentrez-vous sur les verbes au passé composé dans *«Exportations favorables à l'activité régionale»* (**feuille 3**). Soulignez de manière différente:

- les neuf verbes qui utilisent «avoir»
- les deux verbes ordinaires qui utilisent «être»
- les trois verbes pronominaux (comme «se lever», «se retourner», etc.).

Point langue

Le passé composé　　　▶▶ *pp159, 160*

Usage: le passé composé s'utilise pour décrire une action ou un événement situés à un moment bien défini dans le passé:

　　En 1996 la production a augmenté.

Comparez avec l'usage de l'imparfait, **p24** et **pp159–60**.

Formation: majorité des cas: «avoir» au présent + participe passé.

Exceptions:

– verbes avec «être» au lieu d'«avoir»:

　　L'équipement est monté en première place.

– verbes pronominaux, qui utilisent aussi «être»:

　　Le secteur automobile s'est retrouvé en baisse.

3 Voici des questions sur les articles de la **feuille 3**. Répondez par quelques mots seulement. Comparez ensuite à deux (D'après toi, . . . ?)

a Quel est le thème commun à deux des articles?

b Quelle expression est utilisée pour décrire la suppression temporaire d'emplois pour raisons économiques?

c Dans quelle direction cette suppression temporaire a-t-elle progressé début 97?

d Dans quelle direction le chômage en général a-t-il progressé en juin?

e Dans quelle direction l'économie a-t-elle changé dans la région Centre?

f Lequel des trois articles présente l'image la plus positive?

Techniques de travail

Lecture
Pour lire plus efficacement, aidez-vous des titres, des sous-titres et des chiffres. La première phrase de chaque paragraphe peut aussi vous guider.

4 Mettez les verbes au passé composé.

Techniques de travail

Verbes
Si vous ne connaissez pas le participe passé d'un verbe, vérifiez **pp166–73** ou dans les tableaux de verbes de votre dictionnaire.

Certaines régions, telles que la région Centre, (accroître) leur productivité grâce à la hausse des exportations. Cependant, cette situation (se refléter) uniquement dans une partie de la France. Ainsi, le chômage partiel (se retrouver) en baisse durant les premiers mois de l'année, mais (se maintenir) malgré tout à un niveau élevé dans les secteurs du textile et du bâtiment. Encore une fois, le taux de chômage (rester) comparativement haut chez les hommes de moins de 25 ans.

MON PATRON M'A VIRÉE !!!

ENFIN UNE BONNE NOUVELLE !!!

Point langue

Le passé composé ▶▶ *pp158–9*

Accord du participe passé avec le sujet

• Verbes avec «avoir» ➡ pas d'accord:
  La région Centre a progressé.
  Certains secteurs n'ont pas pu éviter le chômage partiel.

• Verbes avec «être», y compris les verbes pronominaux ➡ accord:
  La région Centre est arrivée en dixième place.
  La région Centre s'est développée.
  Certaines régions se sont maintenues en bonne place.

5 **A** Ecoutez les flashs-info **1–8** sur la conjoncture économique et notez – uniquement – les verbes au passé composé.

B Ecoutez à nouveau et décidez: nouvelle positive ou négative?

C Faites correspondre les flashs **1–8** avec les gros titres **a–h** qui présentent les mêmes infos, mais avec des mots différents.

   a L'activité hôtelière a été la cause principale de ce dynamisme.

   b Les entreprises de transport ont annoncé une situation stagnante.

   c Le marché automobile a causé une diminution de l'activité économique.

   d Malgré tout, de nouveaux modèles vont permettre au secteur de ne pas désespérer.

   e Ce projet, jugé trop cher, a déjà attiré des critiques.

   f Plus de 700 employés vont perdre leur emploi en raison d'une restructuration dans le secteur boissons-alimentaire.

   g La météo et les vacanciers venus de l'étranger ont permis aux professionnels d'annoncer un bilan très positif.

   h Le Parlement devra débattre d'un projet de réduction du nombre d'heures de travail hebdomadaires afin de créer des emplois.

6 L'article ci-dessous résume les infos de l'**activité 5**. Ajoutez les mots de liaison.

_____**1**_____, l'économie s'est signalée par une stagnation peu encourageante. _____**2**_____, le premier coupable à signaler est le secteur automobile. _____**3**____, l'arrivée de nouveaux modèles devrait cependant améliorer la situation dans les mois à venir. _____**4**_____, le secteur touristique a bénéficié du soleil et de nombreux visiteurs étrangers. _____**5**_____, c'est l'hôtellerie qui affiche des résultats en hausse par rapport aux années précédentes.

Le chômage continue à faire des victimes dans l'agro-alimentaire. _____**6**_____, par exemple, chez Perrier on attend le départ imminent de plus de 700 salariés. _____**7**____, le gouvernement a relancé son projet de 35 heures hebdomadaires pour aider à créer des emplois. _____**8**____, les opposants ont déjà signalé le danger financier que représente une telle mesure.

_____**9**_____, le domaine des transports est resté immobile et peu compétitif.

Plus concrètement

Pour commencer

A ce sujet

Dans l'ensemble

Plus précisément

Cependant

Finalement

En réponse

A l'inverse

Techniques de travail

Mots de liaison
Ils facilitent la compréhension et améliorent la qualité d'un travail oral ou écrit. Apprenez-les et utilisez-les fréquemment.

7 Cherchez d'autres mots de liaison dans des textes précédents, classez-les par synonymes et apprenez-les.
Exemple: mais = cependant = . . .

8 Résumez l'article sur Burger King en anglais en 80 mots maximum. Vous pouvez travailler à plusieurs, mais sans dictionnaire.

Burger King rappelle ses troupes

Mais en fermant 39 enseignes, pas assez rentables, 550 salariés restent sur le carreau

Le hamburger ne ressemble plus à la poule aux œufs d'or, du moins chez Burger King: la chaîne de restauration française vient d'annoncer son retrait du marché français en raison de sa «faible rentabilité».

Burger King avait lui aussi réussi à détrôner avec succès le jambon-beurre, mais n'a pas pu lutter contre les géants du fast-food. D'ailleurs, les chiffres parlent d'eux même: 600 magasins pour McDo, 500 pour le groupe belge Quick, 39 pour Burger King.

Cette célèbre marque de hamburgers créée par les Américains avait été revendue en 89 au groupe britannique Grand Metropolitan. Son implantation en France date de 1981 avec l'ouverture d'un magasin sur les Champs-Élysées. 38 autres vont suivre dans la capitale et dans le sud-ouest de la France.

Crise

Brève envolée, car le succès n'a finalement jamais été totalement au rendez-vous chez nous: un peu plus cher que Quick et McDo, moins innovant aussi (ce dernier a lancé les salades, les viennoiseries, le McMorning à 17 F, le petit déj'). Sans oublier que l'ensemble des fast-food ont dû faire face à la crise de la vache folle, à un environnement économique tristounet et, peut-être, à une certaine lassitude de la formule.

La chaîne n'a plus eu les moyens de lutter et 550 salariés vont en faire les frais. Mais cet échec ne concerne que le marché français.

Burger King multiplie les succès en Europe (50 ouvertures sont prévues l'année prochaine en Pologne), en Afrique et au Moyen-Orient. La reconnaissance n'a pas été la même dans l'Hexagone, mais les emplacements de futurs ex-magasins, tous situés dans des lieux très stratégiques, risquent d'en appâter plus d'un.

Bilan

 Entre autres choses, vous devriez maintenant mieux maîtriser:
- les techniques de lecture
- les chiffres
- le passé composé
- l'accent tonique
- les synonymes, mots de liaison et familles de mots.

Si vous êtes satisfaits de vos progrès, passez immédiatement aux activités ci-dessous.

Sinon, voici quelques suggestions:

- inventez des chiffres et statistiques et entraînez-vous à deux à les lire le plus vite possible
- faites une liste de verbes problématiques au passé composé puis, à plusieurs, improviser une histoire (une phrase chacun à tour de rôle) dans laquelle vous utiliserez tous ces verbes au moins une fois (L'autre jour, je suis allé(e). . .)
- inventez des phrases contenant beaucoup de mots ressemblant à l'anglais pour pratiquer votre intonation (La situation économique de la région s'est réellement améliorée)
- relisez certains textes et remplacez les mots de liaison par des synonymes.

Vous avez d'autres idées?

A A l'aide de brèves notes, faites un exposé oral d'une à deux minutes sur les données de la **feuille 4**.

Techniques de travail

N'essayez pas de tout mentionner: essayez plutôt d'extraire l'essentiel.

Exploitez les objectifs de cette Unité au maximum.

Entraînez-vous plusieurs fois, mais n'essayez pas d'écrire votre exposé et de l'apprendre par cœur.

 Ecoutez cet exposé sur les données de la **feuille 4**. Combien d'erreurs trouvez-vous?

Stop études

Sujets traités	Points langue	Mieux communiquer	Techniques de travail
Programmes scolaires **Auto-analyse** **Changements souhaités**	**Négations** **Subjonctif (avec voudrais/ aimerais. . .)** **Eviter le subjonctif** **Adverbes** **Prononciation:** sons -on- et -en-	**Participer à un débat** **Comparer et contraster** **Demander des opinions** **Emettre des suggestions**	**Mots de fréquence** **Dictionnaire anglais-français: mots à sens multiple** **Planifier un travail écrit**

A Vérifiez que vous comprenez ces mots à l'aide de la cassette.

1 le collège/le lycée

2 être en seconde/première/terminale

3 le baccalauréat/le bac/une épreuve

4 passer (un examen)/réussir (à . . .)/échouer (à . . .)

B Faites le quiz en deux minutes. Choisissez une réponse ou plus à chaque fois.

1 Pour le bac, on étudie:
  a *trois matières*
  b *cinq matières*
  c *plus de cinq matières.*

2 Chaque semaine, on a:
  a *moins de 25h de cours*
  b *plus de 25h de cours.*

3 Tous les bacs ont une épreuve:
  a *de français*
  b *de maths*
  c *de langue étrangère.*

4 En terminale, la philosophie est rare:
  a *vrai*
  b *faux.*

5 On passe:
  a *une partie du bac en première*
  b *tout le bac en terminale.*

6 La majorité des bacs sont très académiques:
  a *vrai*
  b *faux.*

7 Pour réussir au bac, il faut:
  a *une moyenne (10/20) globale*
  b *la moyenne dans chaque matière.*

C Vérifiez vos réponses au quiz à l'aide de la cassette.

Faisons le point

1 **A** Suggérez un mot ou plus de la même famille que les mots soulignés ci-dessous. Essayez d'abord sans dictionnaire.

> Baptiste est en première S, c'est-à-dire qu'il prépare un bac scientifique où dominent les maths, les sciences physiques et les sciences naturelles. Comme il est dans une classe sport-études, ce qui est assez rare, il doit <u>s'entraîner</u> dur.
>
> Pour le moment, il est assez <u>motivé</u> et son objectif est de faire de bonnes études mais de <u>continuer</u> en même temps le hockey de haut niveau. Le week-end, il ne sort pas souvent par manque de temps. Vu la quantité de <u>travail</u> à faire, il sait qu'une bonne organisation est essentielle, mais au départ il a eu des <u>difficultés</u> à s'adapter au rythme de travail. D'une part, les profs insistent sur la <u>nécessité</u> de devenir plus <u>autonome</u>, mais d'autre part, personne n'explique quelles méthodes de travail <u>utiliser</u> pour obtenir ce genre de résultat.
>
> Baptiste est assez faible en anglais. Il n'est allé dans un pays de langue anglaise qu'une seule fois, et il le regrette. Quand il a fait un <u>séjour</u> chez son correspondant en Ecosse, il n'a presque rien dit et n'a compris personne! En fait, il préfère nettement l'allemand à l'anglais.

B Vrai ou faux? Corrigez les phrases fausses.

  a Baptiste ne sort jamais.

  b Il n'a guère de temps pour les loisirs.

  c Aucun prof n'apprend aux élèves comment travailler.

  d Baptiste n'est jamais allé en Grande-Bretagne.

  e Il n'a pas compris grand-chose chez son correspondant.

  f Il n'a suivi aucun cours d'allemand.

Point langue

Les négations   ▶▶*p147*

Les phrases ci-dessus sont négatives. Voici comment utiliser les expressions clé:

ne . . . pas	*not*	Elles se placent de chaque côté du verbe ou de l'auxiliaire «avoir/être» (**passé composé**):
ne . . . jamais	*never*	
ne . . . plus	*no longer*	Il ne sort guère. *He hardly goes out.*
ne . . . rien	*nothing*	
ne . . . guère	*hardly*	Je n'ai rien appris. *I didn't learn anything.*

ne . . . personne	*nobody*	Elles se placent **toujours** de chaque côté du verbe:
ne . . . nulle part	*nowhere*	Elle ne va nulle part. *She doesn't go anywhere.*
ne . . . aucun(e)	*none*	
ne . . . que	*only*	Il n'a compris personne. *He understood no-one.*

Les mots «personne / rien / aucun(e)» peuvent aussi être sujets, et donc placés avant le verbe:

Personne ne leur apprend à étudier.   *No-one teaches them how to study.*

2 Trois lycéens parlent de leurs études cette année. Ecoutez-les afin de compléter **a–f** avec **1–8**. Attention aux expressions négatives et aux demi-phrases superflues.

a Lionel ne désire	**1** jamais eu de problèmes.
b Aucune matière	**2** réussi à aucun examen.
c Agnès n'a pas	**3** bien choisi son orientation.
d Elle n'a même	**4** aucune différence.
e Sébastien n'a remarqué	**5** qu'une chose: quitter l'école.
f Il n'a	**6** ne le motive.
	7 ne l'ennuie.
	8 plus le temps de s'amuser.

3 **A** Faites six à dix phrases négatives du même type que dans **l'activité 2** sur vos études. Essayez de varier les expressions négatives au maximum.

B Lisez les phrases produites par votre partenaire et dites si oui ou non elles s'appliquent également à vous.

4 Vous avez beaucoup entendu les sons **-on-/-en-**, mais savez-vous bien les distinguer?

A Ecoutez les groupes de sons **1–6** et faites-les correspondre aux listes **a–d**.

a	**en**	**on**	**en**	**on**
b	**en**	**en**	**on**	**on**
c	**on**	**on**	**en**	**en**
d	**on**	**en**	**en**	**on**

B Pratiquez à l'aide de la cassette:

- devant/devons
  avons/avant
  ranger/ronger
  temps/thon/tant
  sans/son/sang
  ont/an/on
  dans/dont/dent

- **-on-**
  une section
  une option
  la seconde
  le secondaire

  -en-
  le changement
  la différence
  l'enseignement
  intéressant

- Devons-nous continuer nos options de seconde?

- De longues études secondaires pourront contribuer à ton orientation.

- Personnellement, un enseignement qui change constamment, ça me rend dément.

- Dans l'ensemble, un bilan de temps en temps, c'est vraiment motivant.

A Aidez-vous des notes ci-dessous, du texte (**p56**) et de votre travail sur les négations pour écrire un paragraphe au brouillon sur la copine de Baptiste. Utilisez des expressions négatives là où vous le pouvez.

> Emmanuelle - Première L (Littéraire) -
> Pas très sportive - Fin de l'année: examen de
> français - Adaptation: peu de problèmes -
> Beaucoup de devoirs (jamais à la dernière
> minute) - Organisation: problèmes minimes -
> Très faible en maths (esprit pas logique →
> toujours détesté) - Langues et français OK.

B A deux, comparez votre brouillon pour produire un paragraphe en commun.

C Entraînez-vous à lire votre paragraphe à voix haute.

On passe l'épreuve de français du bac en première. Suivant la section, c'est une épreuve écrite, orale ou les deux.

Techniques de travail

Ecrire à partir de notes
Pour faire des phrases à partir de notes, il est parfois utile ou nécessaire d'adapter les mots proposés dans les notes.
Exemple: *problèmes minimes*
→ guère de

Techniques de travail

Dictionnaire anglais-français: mots à sens multiples

Attention: certains mots anglais, par exemple *to take*, ont plusieurs sens et peuvent donc se traduire de différentes manières. Pour sélectionner la bonne traduction:

- Regardez les exemples donnés ou les mots entre parenthèses;

- Regardez les abréviations (*n*, *vi/vt/vp*, *adj*. . .): cherchez-vous à traduire un nom (*a cut*), un verbe (*to cut*), un adjectif. . .?

- Attention aux verbes:
  – *vt* = verbe transitif (+ complément d'objet direct): Je parle trois langues.
  – *vi* = verbe intransitif (+ complément d'objet indirect): Je parle à la prof.
  – *vp* = verbe pronominal (*reflexive*): Je me parle en anglais. *I talk to myself in English.*

L'activité 6 va vous permettre de pratiquer.

6 Vous avez 10mn pour compléter chaque traduction avec un ou plusieurs mots à l'aide d'un dictionnaire. Attention aux accords et aux verbes conjugués.

a	I've passed French.	J'ai _____ en français.
b	Do you have a pass for the train?	Tu as _____ pour le train?
c	She passed away last night.	Elle est _____ la nuit dernière.
d	I study Greek and Latin.	J'_____ le grec et le latin.
e	I work in my parents' study.	Je travaille dans _____ de mes parents.
f	I have a study period at 10 o'clock.	J'ai _____ à 10h.
g	I don't like many subjects.	Je n'aime pas beaucoup de _____.
h	She's a British subject.	Elle est _____ britannique.
i	He subjected me to many questions.	Il m'a _____ à beaucoup de questions.
j	I want to do a history degree.	Je veux faire _____ d'histoire.
k	I want some degree of autonomy.	Je veux _____ autonomie.
l	Let me do this by degrees.	Laisse-moi faire ceci _____.

7 Aidez-vous uniquement du contexte pour relever et essayer de traduire les expressions comparatives utilisées ci-dessous. Vérifiez ensuite dans le dictionnaire.

Mieux communiquer

Comparer et contraster
Ces expressions offrent une autre manière d'exprimer des opinions.

Par rapport aux années-collège, les années-lycée nécessitent une nouvelle approche.

Contrairement aux années précédentes, les années-lycée représentent souvent 30 heures de cours ou plus.

A l'inverse du collège, le lycée demande plus de réflexion envers l'avenir. En effet, pendant la seconde «indifférenciée» (français, maths, histoire-géo, langues, sciences. . .), on doit réfléchir sérieusement à la direction à prendre en première et en terminale.

Au collège, on apprend beaucoup par cœur. En revanche, au lycée, il faut savoir réfléchir et développer ses opinions personnelles.

Par contraste avec les rédactions du collège, on demande aux lycéens de produire de longues dissertations (français, histoire-géo. . .)

En comparaison avec le collège, les profs vous traitent soudain en adultes. Il faut vite apprendre à réagir en conséquence, donc il faut «mûrir» très vite.

Tandis qu'au collège le travail est plus dirigé, le lycée nécessite une meilleure organisation personnelle. Dans l'emploi du temps, une chose qui distingue le lycée du collège est qu'un module vous apprend en fait à perfectionner vos méthodes de travail.

Pour plus de pratique sur l'information ci-dessus et les expressions comparatives, passez à la **feuille 1**.

8 A deux, entraînez-vous à parler 1–2mn des changements que vous avez rencontrés dans vos études cette année (horaires, nombre de matières, devoirs, travail personnel, attitude des profs. . .). Réutilisez des expressions comparatives comme dans **l'activité 7**.

Auto-analyse

1　**A**　Traduisez les expressions suivantes le plus vite possible à l'aide du quiz ci-dessous.

    a　to get down to work

    b　as soon as

    c　a test

    d　non stop

    e　occasionally

    f　at the last minute

    g　to worry

    h　a long essay

B　Sélectionnez vos réponses au quiz, mais ne les montrez à personne.

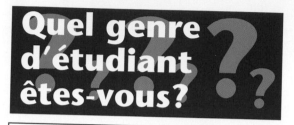

Quel genre d'étudiant êtes-vous? ???

1 Vous vous mettez au travail dès que vous rentrez du lycée?

  a　quelquefois

  b　toujours

  c　rarement.

2 Vous apprenez votre vocabulaire:

  a　presque uniquement avant un contrôle

  b　seulement à la fin de chaque Unité

  c　régulièrement.

3 Vous faites vos devoirs sans interruption?

  a　de temps en temps

  b　généralement

  c　exceptionnellement.

4 Vous révisez à la dernière minute?

  a　fréquemment

  b　jamais; bien avant

  c　quelquefois.

RADIO NRG BONJOUR!

5 Vous travaillez devant la télé?

  a　parfois

  b　tout le temps ou presque

  c　très peu ou jamais.

6 Vous écoutez la radio française?

  a　de temps à autre

  b　souvent

  c　jamais.

7 Vos études vous préoccupent?

  a　seulement avant les examens

  b　constamment ou presque

  c　pas souvent. *EXAMEN ICI*

8 Comment trouvez-vous les dissertations?

  a　vraiment faciles à faire

  b　plutôt difficiles à faire

  c　ça dépend.

Point langue

Le quiz (p60) utilise beaucoup d'adverbes, surtout des adverbes de temps.

Usage: les adverbes aident à préciser le sens d'un verbe, d'un adjectif. . . ou d'un autre adverbe:

J'écoute assez fréquemment la radio française mais je trouve ça plutôt difficile.

Formation: certains adverbes sont formés à partir d'adjectifs féminins + **-ment**:

régulier ⟶ régulière ⟶ régulièrement

Exceptions:

- adjectifs en **-ant/-ent**:
  constant ⟶ constamment
  fréquent ⟶ fréquemment

- énorme ⟶ énormément
  bref ⟶ brièvement
  gentil ⟶ gentiment

- bon *good* ⟶ bien *well*
  meilleur *best/better* ⟶ mieux *better/best*
  mauvais *bad* ⟶ mal *badly*
  rapide *fast* ⟶ vite *fast/quickly*

  C'est un meilleur lycée: je travaille mieux ici.

Certains adverbes ne sont pas formés à partir d'adjectifs: demain, bientôt. . .

Position: il existe plusieurs règles (voir **p146**).

Notez bien! Les adverbes sont invariables (pas de masculin, féminin, etc.).

2 Relevez tous les adverbes utilisés dans le quiz (**p60**). Si ces adverbes viennent d'un adjectif, écrivez de quel adjectif ils viennent.
Exemple: **rarement (rare)**

3 Stéphanie pose les questions du quiz (**p60**) dans l'ordre à Julien. Quelles réponses correspondent le mieux à ce que dit Julien? Attention: ils n'utilisent pas toujours exactement les mots du quiz (adverbes ou autres).

4 Essayez de deviner les réponses de votre partenaire au quiz. Attention à l'ordre des mots quand vous utilisez des adverbes.
Exemple:

> *Moi, je pense que tu te mets toujours au travail dès que tu rentres du lycée.*

> *Ah, non, tu as tort. D'abord, je discute avec ma mère.*

5 Quel genre d'étudiant êtes-vous? Parlez 1–2mn de votre style personnel à partir d'un minimum de notes (voir **p36**). Exploitez les adjectifs rencontrés jusqu'à maintenant, les adverbes, les expressions négatives et les expressions comparatives.

En France, dans la plupart des matières, on demande assez fréquemment à un ou plusieurs étudiants de faire un exposé.

Il faudrait que ça change!

A Ecoutez des élèves exprimer des critiques sur les thèmes **1–10**. Etes-vous d'accord avec eux?

tout à fait	en partie	pas vraiment	pas du tout

1 le nombre d'élèves par classe
2 le contenu des programmes scolaires
3 l'efficacité des méthodes de travail
4 la préparation à l'emploi
5 le nombre de matières

6 le travail en groupe
7 la participation orale
8 les horaires
9 le travail individuel
10 les vacances

B Exprimez vos propres critiques sur votre système scolaire, oralement ou par écrit. Ne faites pas de suggestions pour le moment – seulement des critiques.

C Réécoutez les commentaires **1–8** afin de compléter les phrases **1–8**.

1 Myriam voudrait
2 Barbara aimerait mieux
3 Jean-Pierre souhaite
4 Julien préférerait
5 Aline veut
6 D'après Marc, il faudrait
7 Myriam n'aime pas
8 Jean-Pierre aimerait bien

a qu'on réduise le nombre de matières.
b qu'on guide mieux les élèves.
c qu'on puisse passer moins d'heures au lycée.
d qu'on mette en place des programmes allégés.
e qu'on soit obligé de se taire et d'écouter.
f qu'on réduise le nombre d'élèves par classe.
g qu'on ait plus d'occasions de travailler ensemble.
h que le lycée soit mieux orienté vers la vie active.

Point langue

Le subjonctif présent ▶▶ *pp163–4*

Avez-vous remarqué des verbes inhabituels (puisse, mette, ait, soit. . .) ci-dessus?

Usage: le subjonctif s'utilise dans certaines circonstances précises. Il est introduit ici après les verbes (+ «que») exprimant le désir, la volonté ou la préférence:

je veux que . . .	il faudrait que . . .	j'aimerais bien/mieux que . . .
je voudrais que . . .	je souhaite que . . .	je préfère que . . .
il faut que . . .	j'aime/je n'aime pas que . . .	

Formation: basée sur l'indicatif présent avec «ils/elles»:

mettre ➡ ils mettent ➡ mett- + terminaisons du subjonctif: **-e, -es, -e, -ions, -iez, -ent**
je mette, tu mettes, il/elle/on mette, nous mettions, vous mettiez, ils/elles mettent

Certaines formes du subjonctif sont identiques à l'indicatif: voir **activité 1C** ci-dessus.

Verbes irréguliers:

être je sois, tu sois, il/elle/on soit, nous soyons, vous soyez, ils/elles soient
avoir j'aie, tu aies, il/elle/on ait, nous ayons, vous ayez, ils/elles aient
aller j'aille, tu ailles, il/elle/on aille, nous allions, vous alliez, ils/elles aillent
faire je fasse. . .
pouvoir je puisse. . .
savoir je sache. . .

2 Les verbes au subjonctif ne sont pas toujours faciles à reconnaître à l'écoute.
Ecoutez les phrases **1–10** et notez les verbes au subjonctif que vous entendez avec leur infinitif.
Exemple: `1 changiez – changer`

3 Les phrases au subjonctif ont souvent une structure très différente en anglais:

J'aimerais que vous changiez de lycée.
I'd like you to change school (mot à mot: *I'd like that you change school*).

Passez à la **feuille 2** pour pratiquer ce genre de structures. Les phrases utilisées sont celles de l'**activité 2**.

> *En bac pro, j'ai 8h d'atelier, 4h de dessin technique, 3h de français, 3h de maths, 2h d'anglais, 3h d'éco, 2h d'histoire, 2h de physique, 2h d'EPS et 2h de dessin d'art. Il faudrait peut-être qu'on réduise les horaires...*

4 Après «il faut/j'aimerais», etc., on n'utilise pas nécessairement «que» + subjonctif. Parfois, on utilise simplement l'infinitif. Avant de lire les explications ci-dessous, aidez-vous de ces exemples pour comprendre dans quel cas on utilise l'un et l'autre:

J'aimerais que vous changiez de lycée.
J'aimerais changer de lycée.

Point langue

Subjonctif ou infinitif? ▶▶ *p164*

Dans le premier exemple ci-dessus, «aimerais» et «changiez» n'ont pas le même sujet ⟹ subjonctif.

Dans le deuxième exemple, «aimerais» et «changer» ont le même sujet ⟹ infinitif.

Notez bien:
Il faut que j'aille en cours = Il me faut aller en cours = Je dois aller en cours

5 Remplissez les blancs avec des verbes au subjonctif ou à l'infinitif.

a Certains lycéens voudraient _____ plus de temps libre. (disposer de)
b Ils aimeraient qu'on _____ les horaires. (réduire)
c Ils ne souhaitent pas qu'on _____ les vacances. (raccourcir)
d Pour le bac, il faut souvent _____ dix matières. (étudier)
e Certains préféreraient _____ davantage. (se spécialiser)
f Les profs voudraient que les lycéens _____ mieux organisés. (être)

Pour plus de pratique sur le subjonctif, passez à la **feuille 3**.

6 Utilisez ces opinions exprimées en réponse à un questionnaire «Consultation lycées» (1997) pour faire des phrases avec et sans le subjonctif.

Exemple: *les langues vivantes. . .*

      subjonctif: *Cette personne aimerait que les lycées offrent plus de langues vivantes.*

      infinitif: *Cette personne aimerait pouvoir apprendre plus de langues vivantes.*

● **Dans ce que vous apprenez au lycée, qu'est-ce qui est le plus important?**

Apprendre les langues vivantes et la culture générale, cela peut servir beaucoup dans la vie professionnelle.
(15 ans, seconde L)

● **Y a-t-il un remède à l'ennui?**

Il faudrait plus de participation des élèves, ainsi que des débats, ce qui favoriserait l'intérêt pour les cours.
(16 ans, première S)

Pour rendre les cours moins ennuyeux, il faudrait passer des cassettes vidéo, aller plus souvent sur le terrain, dans les entreprises, par exemple.
(16 ans, première ES)

● **Que souhaiteriez-vous apprendre au lycée?**

J'aimerais avoir des cours sur l'art et aussi une initiation à la philosophie dès la classe de 1e.
(17 ans, terminale L)

● **Que proposez-vous pour que l'évaluation vous permette de progresser davantage?**

Il faudrait baser l'évaluation sur tout le travail effectué et non sur un devoir d'une feuille.
(16 ans, seconde)

Il n'y a pas assez de rencontres entre professeurs et parents. En faire trois fois par trimestre pour faire le point, ce serait bien.
(16 ans, première ES)

● **Comment le lycée pourrait-il favoriser votre réussite?**

Etre plus à l'écoute des élèves quand ils en ont besoin.
(16 ans, lycée technique)

Plus d'information au niveau de l'orientation.
(17 ans, lycée professionnel)

---

 7 Préparez-vous à ce débat: **«Etes-vous satisfaits de votre système scolaire?»**

  A Ecoutez les extraits de débat **1–10** et regardez les principes **A–E** ci-contre. Quels principes (un ou plusieurs) sont illustrés dans chaque extrait?

  B Réécoutez les extraits et notez des expressions utiles pour appliquer **A–E**. En connaissez-vous d'autres?

 8 Participez au débat en suivant les conseils ci-dessous. Exploitez les objectifs rencontrés dans cette Unité au maximum (subjonctif + comment l'éviter, adverbes, négations, comparer et contraster. . .).

9 Voici un titre de rédaction, suivi d'une introduction. Préparez un plan de rédaction – sous forme de notes – à l'aide des conseils qui vous sont donnés. Le texte de la **feuille 4** vous donnera peut-être quelques idées supplémentaires.

> **«D'après-vous, votre lycée vous prépare-t-il bien pour votre avenir professionnel?»**
>
> *Le chômage des années 80 a concentré l'attention sur les lycées où, de nos jours, on parle peut-être moins d'épanouissement personnel et plus de préparation à l'avenir professionnel. Mais quelle identité a su se créer le lycée ces quelques dernières années face à l'avenir professionnel des lycéens?*

Techniques de travail

Préparer un plan de rédaction

- A supposer que, d'après vous, le lycée **prépare bien** à la vie professionnelle:
  1
  – quelques idées suggérant que le lycée prépare mal à la vie professionnelle
  – un exemple concret (ou plus) pour illustrer chaque idée.
  2
  – quelques idées (plus que dans la première partie) suggérant que le lycée prépare bien à la vie professionnelle
  – un exemple concret (ou plus) pour illustrer chaque idée.

- A supposer que, d'après vous, non, le lycée **ne prépare pas bien** à la vie professionnelle: faites comme ci-dessus, mais à l'envers.

- Pourquoi procéder ainsi? Parce que finir par vos arguments préférés conduit de manière plus naturelle à votre conclusion.

Bilan

● Entre autres choses, vous devriez maintenant:

  – avoir acquis des connaissances sur les lycées français
  – pouvoir mieux parler de votre système d'éducation
  – commencer à utiliser le subjonctif
  – savoir mieux utiliser les négations et les adverbes
  – savoir mieux planifier votre travail écrit
  – pouvoir participer à un débat.

● Si vous êtes satisfaits de vos progrès, passez immédiatement aux activités ci-dessous.

  Sinon, voici quelques suggestions:

  – consultez l'Unité 5 pour préparer des phrases «vrai/faux» sur le système d'éducation français, et testez-vous à plusieurs

  – faites une liste de verbes irréguliers au subjonctif que vous avez rencontrés jusqu'à présent puis, à plusieurs, faites des phrases (une phrase chacun à tour de rôle) dans lesquelles vous suggérez à votre directeur des changements souhaitables dans votre lycée

  – faites des commentaires positifs ou critiques sur votre système d'éducation ou sur votre lycée, en utilisant une expression négative dans chaque phrase

  – apprenez les adverbes à deux, en vous aidant d'un dictionnaire si nécessaire: une personne suggère un adjectif et l'autre dit l'adverbe de la même famille

  – comparez et améliorez vos plans de rédaction à deux (**activité 9 p65**) après avoir reçu les commentaires de votre professeur.

A Parlez 1–2 mn d'une des matières que vous étudiez cette année. Comment ça va? Est-ce que ça vous intéresse? Est-ce différent de ce que vous imaginiez? Est-ce différent de l'année dernière? Qu'aimeriez-vous changer?

B Imaginez que vous étudiez dans un lycée français depuis le début de l'année. Ecrivez à un magazine français pour expliquer vos réactions et faites des comparaisons avec le système britannique. Pour bien vous préparer:

  – faites un bilan des renseignements acquis dans cette Unité sur les lycées français

  – posez des questions supplémentaires à votre prof/correspondant(e)/assistant(e). . .

  – faites quelques recherches (livres, magazines, journaux, Internet. . .).

Bonjour, l'avenir

Sujets traités	Points langue	Mieux communiquer	Techniques de travail
Pourquoi faire des études?	**Conjonctions + subjonctif**	**Ecrire une lettre officielle**	**Retravailler un brouillon**
Stages et petits boulots	**Souhaits + «qui/que/où» + subjonctif**	**Participer à une interview**	**Ecrire une bonne introduction**
Regard sur la vie active	**Prononciation:** voyelles courtes	**Exprimer ses intentions**	
		Exprimer souhaits et éventualités	

Etudes longues ou courtes?

1 Pourquoi avez-vous décidé de poursuivre vos études après l'âge de 16 ans?

A Exprimez simplement vos raisons à deux, puis comparez à quatre: en avez-vous beaucoup en commun?

B Ecoutez les raisons données par cinq étudiants, puis expliquez à plusieurs lequel/laquelle se rapproche le plus de vous.

Je me rapproche quelque peu/assez/surtout/tout à fait du numéro. . . parce que. . .

Je ne me rapproche guère/pas du tout du numéro. . . parce que. . . tandis que moi, . . .

C Réécoutez et transcrivez le numéro **5**.
Oh ben, abandonner. . .

D Expliquez à nouveau vos motivations en vous aidant des expressions rencontrées sur cassette. Vous exprimez-vous mieux maintenant?

2 Les présentateurs-radio ne répètent pas 36 fois la même chose, d'où l'importance de s'entraîner à mémoriser certains faits enregistrés sans interrompre la cassette.

A Les Français aiment les études, comme va vous le montrer cet enregistrement. Ecoutez-le sans interruptions, puis compilez à plusieurs les faits que vous avez notés ou mémorisés.

B Réécoutez l'enregistrement, toujours sans interruptions, puis continuez votre compilation. Votre prof vous posera ensuite des questions pour voir quel groupe a accumulé le plus de détails.

Vous pouvez maintenant passer à la **feuille 1**.

3 **A** Vérifiez le sens des conjonctions suivantes dans le dictionnaire.

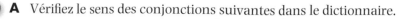

à condition que	pourvu que	pour que	afin que	quoique
bien que	de peur que	de crainte que	sans que	

B Complétez les phrases **a–h** avec une conjonction qui semble convenir. N'oubliez pas de remplacer «que» par «qu'» si nécessaire. Il existe souvent plus d'une réponse possible et vous pouvez utiliser la même conjonction plusieurs fois.

a L'université offre une meilleure garantie d'emploi _____ on choisisse bien sa branche.

b Travailler à mi-temps me permet d'étudier _____ mes parents soient obligés de m'aider à financer mes études.

c Mes parents ont insisté _____ je poursuive mes études parce c'est une tradition dans la famille.

d Mes parents ne m'ont pas autorisé à aller à l'université à Paris _____ je n'aie pas la volonté d'étudier suffisamment.

e J'aimerais assez aller à l'université _____ je sois assez tenté par la vie active.

f J'ai pris rendez-vous avec un conseiller d'orientation _____ il me dise quelles filières paramédicales pourraient convenir à mes compétences.

g Mes parents veulent bien m'aider à financer mes études _____ je promette de les aider au magasin pendant les vacances.

h _____ on veuille bien m'accepter à l'université, j'ai décidé d'abandonner les études.

C Ecoutez les commentaires **1–8** et faites-les correspondre aux phrases **a–h** ci-dessus.

Point langue

Conjonctions suivies du subjonctif ▶▶ *pp163–4*

- Vous vous souvenez du subjonctif (**p62**)? Regardez à nouveau les phrases **a–h** ci-dessus: les conjonctions sont suivies du subjonctif. En voici d'autres également suivies du subjonctif. Apprenez-les toutes par cœur:

à moins que	*unless*
avant que	*before*
après que	*after*
en attendant que	*until*
jusqu'à ce que	*until*
Que	*Whether*
Que	*May. . .*

- Etudiez les exemples **d–g**.

- Révisez le subjonctif des verbes réguliers et irréguliers (**p62**), plus le subjonctif du verbe **vouloir** (**p173**).

- On ajoute parfois «ne» après certaines conjonctions: voir **29b** (**pp163–4**).

  J'oublierai à moins qu'il (ne) téléphone.

---

4 **A** Traduisez les phrases ci-dessous en bon anglais.

a J'insisterai jusqu'à ce que tu me répondes.
b Téléphone-moi avant qu'elle (ne) vienne.
c Cache-toi en attendant qu'il parte.
d J'irai à moins qu'il (ne) pleuve.
e Qu'ils réussissent ou non, peu importe!

f Que Dieu nous protège!
g Je me changerai juste avant de partir.
h Il l'a vendu sans me prévenir.
i Elle a accepté après m'avoir consultée.
j Ils parlent toujours sans m'écouter.

B Retraduisez-les ensuite en français.

Eviter le subjonctif ▶▶ *pp163–4*

Avez-vous remarqué la différence entre **a–f** et **g–j** dans l'**activité 4**? Il est possible d'éviter le subjonctif par l'usage de l'infinitif après certaines conjonctions, quand le sujet des deux verbes est le même (voir **p63**).

à condition que ➡ à condition de	pour que ➡ pour afin que ➡ afin de
de crainte que ➡ de crainte de	de peur que ➡ de peur de
	sans que ➡ sans
à moins que ➡ à moins de	avant que ➡ avant de
en attendant que ➡ en attendant de	après que ➡ après avoir

5 **A** Lisez l'article ci-dessous. Votre prof va improviser des activités pour vous aider à mieux le comprendre.

B Complétez **a–g** de manière à refléter l'article et en utilisant à chaque fois une conjonction + le subjonctif ou l'infinitif. Les notes entre parenthèses sont là pour vous guider.

a De nombreux jeunes poursuivent leurs études afin. . . (*éviter chômage*)

b Certains trouvent des emplois bien. . . (*temps partiel*)

c Souvent, les jeunes ne trouvent rien à faire à moins. . . (*temps partiel*)

d Les parents aident leurs enfants jusqu'à. . . (*terminer études/trouver emploi*)

e Les jeunes exercent parfois des emplois de bas niveau bien. . . (*diplômes*)

f Qu'ils. . . (*diplômés ou non*), les jeunes ont souvent de très bas salaires.

g Les salaires des jeunes sont maigres, bien. . . (*souvent subventionnés/Etat*)

Jeunes: des études anti-chômage

Le marché du travail continue à se dégrader pour les jeunes dans notre pays, premières victimes, depuis 1970, de la montée du chômage. Les difficultés, pour eux, d'entrer dans la vie active sont illustrées, de façon frappante, par une étude que vient de rendre publique le ministère de l'Emploi. La situation est encore plus alarmante que ne le croient bon nombre de dirigeants politiques et de responsables de l'économie.

Une confirmation: la France affiche un taux record de chômage parmi les jeunes «actifs». Il s'élève à 24,3%. C'est presque deux fois plus que dans les autres catégories de la population. Autrement dit, près d'un jeune sur quatre dit «en activité» recherche actuellement un emploi.

Fléau

Quand il en a décroché un, c'est souvent un pis aller. Dans un cas sur quatre, il ne s'agit que d'un travail à temps partiel. Six jeunes sur dix (au lieu de quatre «actifs» sur dix dans les autres classes d'âge) souhaitent alors travailler davantage, c'est-à-dire avoir un emploi à temps plein.

Conséquence de ce fléau pour la jeunesse française: dans toute la mesure du possible, une très grande partie d'entre elle, désormais, prolonge les études. Une façon de reculer le risque d'aller pointer à l'ANPE. En mars dernier, un jeune de 16 à 25 ans sur deux (exactement 49,9%) poursuivait ses études, contre 31,3% en 1985 et seulement 23,5% en 1975.

Une autre caractéristique française: 29% des jeunes s'y trouvent en activité. Un taux particulièrement faible comparé à celui des autres grands pays développés. Il atteint par exemple 55% en Allemagne, 65% aux Etats-Unis, dépasse 70% en Grande-Bretagne.

Parents

Du coup, la plupart des jeunes Français n'étant pas considérés comme actifs il n'y en a plus qu'un sur neuf qui cherche du travail. Une proportion relativement faible par rapport aux autres pays.

Rester ainsi plus longtemps à la charge des parents a modifié les habitudes de consommation des familles, obligées de compter au plus juste. D'un autre côté, poursuivre les études augmente les chances d'obtenir un diplôme. Mais pas forcément un emploi correspondant.

D'où un handicap supplémentaire pour les jeunes qui interrompent leur scolarité, leur formation, pour trouver du travail pratiquement sans diplôme. Il ne leur reste que des emplois très peu qualifiés et très mal payés.

Même si plus d'un emploi jeune sur trois bénéficie de l'aide de l'Etat. En mars 1997, le salaire médian des moins de 25 ans était de 5 750 F par mois contre 7 800F pour l'ensemble des salariés.

Jean-Louis ROCHON

Petit boulot deviendra grand?

 1 Un petit boulot, c'est un travail à mi-temps qu'on fait généralement en étudiant, pour gagner un peu d'argent. Les lycéens français, cependant, ont tendance à travailler pendant les vacances (plus longues) plutôt que pendant l'année scolaire.

A Avec l'aide de votre prof, déchiffrez puis continuez cette liste de petits boulots:

> **caissier/caissière**
> **distributeur/distributrice d'imprimés**
> **laitier**
> **agent de service**
> **gardien/gardienne de nuit**
> **coursier, -ière**
> **entraîneur sportif/entraîneuse sportive**

B Ecoutez et transcrivez les neuf questions sur les petits boulots.

C Faites des recherches de vocabulaire pour pouvoir mieux répondre à ces questions.

D Après avoir écouté l'extrait d'interview comme modèle, interviewez-vous à deux en vous inspirant des questions ci-dessus (**1B**). Il faudra peut-être en mettre certaines à l'imparfait. Entraînez-vous plusieurs fois.

 2 Un stage est un placement peu ou pas rémunéré qui fait généralement partie des études dans certaines filières de lycée ou après le bac. La personne qui fait un stage est un(e) stagiaire.

A Lisez en 4mn maximum les deux premières colonnes de l'article (**p71**) puis, oralement, mettez en commun ce que vous comprenez.

B Relevez dans la première colonne l'équivalent des expressions suivantes:

a presque   **d** après
b ont fait un stage   **e** le confirment
c pendant

C Relevez, dans l'enregistrement de la deuxième colonne, les mots qui remplacent les mots soulignés.

D Complétez la troisième colonne à l'aide des mots suivants:

> **pour**   **des**   **à**   **dans**   **ils**   **du**   **elles**
> **pour**   **au**   **de**   **sur**   **en**

E Sélectionnez puis apprenez 6–10 mots et expressions sur le thème des stages (*ex.* un stage en entreprise) et 4–6 mots et expressions d'ordre plus général (*ex.* au cours de).

Techniques de travail

Participer à une interview
- Pour vous donner le temps de réfléchir, reformulez la question ou une partie de votre réponse et utilisez des expressions bouche-trou *gap fillers*:

> *Si c'est bien payé? Eh bien. . . en fait, tu sais, je dirais que. . .*

> *Je travaille le mardi et le vendredi soir. . . Je travaille deux soirs par semaine. . .*

- Evitez les réponses trop courtes à l'aide de réactions, comparaisons et suggestions:

> *Je gagne seulement 3,50 livres de l'heure. A mon avis, c'est peu, c'est trop peu. Je pense que 4 livres, 4,50 livres, ça serait plus acceptable. . .*

Techniques de travail

Vocabulaire
Basez votre choix sur les mots qui vous seraient le plus utiles pour résumer ce texte.
Ne négligez pas le vocabulaire d'ordre général, qui aide à construire de meilleures phrases. Le classer séparément peut aider à mieux l'apprendre.

89% des jeunes diplômés ont effectué un stage

Le stagiaire-étudiant est une denrée de plus en plus répandue: près de 9 jeunes diplômés (bac plus deux et plus) sur 10 ont effectué un ou plusieurs stages en entreprise au cours ou à l'issue de leurs études°. Les statistiques du ministère de l'Education vont dans le même sens: à l'université, 350 000 étudiants sur 1,5 million ont un stage à effectuer. Environ 300 000 inscrits des écoles de commerce et autres établissements scolaires également. Et on estime à environ 500 000 le nombre de jeunes qui font des stages de leur propre initiative.

Les entreprises relèvent toujours plus leurs <u>niveaux</u> de sélection. Certaines <u>demandent</u> même des stagiaires expérimentés. . . pour des stages, qu'elles prolongent <u>volontiers</u> au-delà de six mois. La durée moyenne des stages <u>ne cesse</u> d'augmenter: si 21% des jeunes diplômés <u>effectuent</u> des stages de moins de trois mois, 42% sont stagiaires <u>pendant</u> plus de six mois (dont 16% pendant plus d'un an). <u>Contrairement au</u> CDD, un stage peut être prolongé sans obligation d'<u>embauche</u>, comme il peut être interrompu sans donner lieu à des indemnités.

A la question, ces stages vous ont-_____ mieux armé _____ rechercher du travail? Un tiers seulement _____ étudiants répondent oui. Selon l'Apec (Association pour l'emploi des cadres), 8% des jeunes diplômés trouvent un emploi _____ l'issue d'un stage. C'est peu, mais malgré tout l'équation expérience professionnelle plus diplômes reste la plus payante _____ aborder le marché _____ travail: un jeune diplômé _____ deux trouve un premier emploi _____ moins de six mois.

°Ce chiffre est tiré d'un enquête de l'Afij (l'Association pour faciliter l'insertion professionnelle des jeunes diplômés) réalisée en janvier 1987 sur un échantillon de 9780 étudiants de niveau bac plus deux et au delà.

répandu:	*widespread*	CDD (m):	contrat à durée déterminée (emploi temporaire)
bac plus deux:	*bac + 2 further years of study*		
niveau (m):	*level*	embauche (f):	*taking someone on*
volontiers:	*willingly, gladly*	donner lieu à:	*to lead to*
au-delà de:	*beyond*	armer:	*to equip*
ne cesser de:	*to go on, to keep*		

Vous pouvez maintenant passer à la **feuille 2**.

3 **A** Ecoutez l'interview de Cédric et Gabrielle, deux étudiants habitués aux stages, et prenez des notes en deux colonnes sur les aspects négatifs et positifs dont ils parlent.

B Réécoutez l'enregistrement pour transcrire exactement la fin des phrases suivantes:

   a Mais c'est à nous de trouver. . .

   b Vous savez, les entreprises sont. . .

   c C'est pas très équitable. Le plus souvent, . . .

   d On n'a vraiment pas cherché. . .

   e D'une part parce que l'entreprise. . .

   f J'ai vraiment eu l'impression. . .

C A deux, écrivez des phrases complètes à partir de vos deux colonnes (**activité 3A**).

D Montrez vos phrases à deux autres personnes et vérifiez ensemble les idées, la grammaire (genre, nombre, accords) et l'orthographe, sans oublier les accents.

Techniques de travail

Prendre des notes
◀◀ p30
Pour aller plus vite, utilisez. . .
- des signes:
  + (plus)
  ↔ (équivalent/lié/correspond à)
  ± (plus ou moins)
  # (différent de)
  → (donc)
- des abréviations:
  & (et)
  imptt (important)
  svnt (souvent)

Techniques de travail

Danger: vouloir reproduire exactement une phrase enregistrée est un peu difficile. **Solution**: si vous avez compris le sens général, reproduisez-le avec vos propres mots.

4 **A** A plusieurs, indiquez vos réactions à ce brouillon de lettre ci-dessous. Analysez-en le contenu (détails donnés; motivations. . .), la structure d'ensemble et le style (structure des phrases; qualité et variété du vocabulaire).

Monsieur,

   Je vous écris parce que je voudrais faire un stage dans votre maison d'édition. Je suis anglais et j'aurai 18 ans en juin. Je suis au lycée et j'étudie le français, l'informatique et le commerce. J'ai aussi fait de la bureautique. Je voudrais continuer mes études après le lycée. Je connais la France et je parle assez bien français. J'ai une correspondante à Orléans et je voudrais venir au mois d'août. J'ai déjà travaillé et l'édition m'intéresse. Puis-je venir faire un stage? Je pourrais demander des références au directeur de mon lycée si nécessaire.

   Salutations distinguées.

B Ecoutez les commentaires de Gabrielle et Cédric sur le brouillon de lettre. Sont-ils d'accord avec vous? Ont-ils critiqué d'autres aspects?

5 **A** Seuls, écrivez votre propre brouillon afin d'améliorer la lettre (**p72**). Inventez quelques détails supplémentaires si nécessaire.

> Je pense. . .   Je souhaiterais. . .   J'espère. . .
> J'aimerais. . .   Je projette de. . .   J'espère pouvoir. . .
> J'ai l'intention de. . .   J'entrevois la possibilité de. . .

B Retravaillez vos brouillons respectifs à deux, puis mettez votre lettre au propre.

Techniques de travail

Retravailler un brouillon
- **Structure d'ensemble** – y a-t-il plusieurs paragraphes? Chacun correspond-il à un sujet distinct? Les paragraphes se suivent-ils de manière assez logique?
- **Contenu** – les idées sont-elles assez précises? Contiennent-elles ni trop, ni trop peu de détails? Manque-t-il des points importants? Les faits mentionnés sont-ils assez justifiés? Le ton est-il bien choisi (formel, enthousiaste, convaincant. . .)?
- **Qualité de la langue** – vérifiez la grammaire (genre, nombre, accords, temps des verbes. . .), l'orthographe (y compris les accents), la ponctuation, les majuscules, le vocabulaire (varié? pas trop vague?) et les structures (phrases ni trop simples ni trop courtes? structures grammaticales assez variées?)

> Tu devrais commencer un nouveau paragraphe, là.
>
> Ce n'est pas très détaillé.
>
> C'est un peu court comme phrase.
>
> L'adjectif doit s'accorder avec quoi?
>
> Le participe passé doit s'accorder ou pas?
>
> Tu es sûr(e) de la terminaison, là?
>
> Il n'y a pas une faute, là?
>
> Ça prend un accent aigu/grave/circonflexe.
>
> Il faut mettre l'adjectif au féminin.
>
> Tu as oublié de mettre un **-x**.

6 **A** Lisez la lettre de la **feuille 3** et analysez comment les stratégies suggérées ci-dessus ont été appliquées. Votre prof suggérera ensuite des activités supplémentaires.

B Ecoutez l'enregistrement du troisième paragraphe de la lettre, puis entraînez-vous à bien le lire à voix haute.

La prononciation (+ feuille 3)

En français, les syllabes prononcées ont pratiquement toutes la même longueur: notez la différence entre *the occasion* et l'occasion.

Le **-e** est généralement muet en fin de mot, mais aussi parfois en milieu de mot:

particulièr(e)ment	je souhait(e)rais
deux s(e)maines	un log(e)ment
une imprim(e)rie	j'aim(e)rais

Etre conscient du **-e-** muet peut aussi faciliter l'écoute.

Point langue

Demain, l'emploi

1 **A** Citez des emplois ou donnez des définitions pour certains de ces secteurs professionnels:

la recherche la gestion le marketing l'informatique l'urbanisme le tourisme les assurances le secteur médical/paramédical le secteur commercial le petit commerce l'édition l'électronique le secteur scientifique l'enseignement la comptabilité la défense le secteur technique/technologique l'industrie du bâtiment l'hôtellerie le monde du spectacle les langues la vente le journalisme le secteur bancaire le social les services publics/l'administration la logistique la création artistique l'artisanat le secteur alimentaire le droit l'audio-visuel

GENDARME
s'engager
au cœur de la vie

B Classez ces secteurs dans un ordre qui vous aidera à les apprendre plus facilement.

2 **A** Complétez anonymement le questionnaire ci-dessous puis donnez vos réponses à votre prof, qui va ensuite les redistribuer au hasard.

B A deux, lisez les réponses qu'on vous a distribuées pour vous faire une idée du genre de personne qui a complété le questionnaire, puis suggérez des carrières possibles pour ces individus anonymes.

Demain, l'emploi

Choisir sa voie professionnelle: dur, dur! Répondez par ✓, ? ou ✗.

1 Vous aimeriez une carrière qui vous permette un contact fréquent avec le public. ☐

2 Vous êtes attiré(e) par une carrière où vous puissiez exploiter votre imagination. ☐

3 Vous préféreriez une activité qui puisse générer un très haut niveau de vie. ☐

4 Vous recherchez une activité que vous puissiez exercer à votre compte. ☐

5 Vous êtes tenté(e) par un métier qui demande de la précision. ☐

6 Il vous faudrait un emploi qui n'impose pas trop de responsabilités. ☐

7 Vous êtes attiré(e) par une carrière qui vous laisse du temps libre. ☐

8 Vous préférez un métier qui soit dans l'intérêt du public. ☐

9 Vous voulez un emploi qui vous permette constamment de battre des records. ☐

Le subjonctif
▶▶ *pp163–5*

- Révisez si nécessaire l'usage du subjonctif après les verbes exprimant désir, volonté ou préférence (**p62**).

  Exemple: J'aimerais que tu **ailles** à l'université.

  Je suis tenté par une activité qui **puisse** s'exercer chez soi.

- Comparez avec les phrases du questionnaire. Même principe, mais avec l'usage de «qui», «que» ou «où»:

  > *Vous préférez un métier qui soit dans l'intérêt du public?*

- Bien sûr, on n'utilise pas toujours le subjonctif après «qui»/«que»/«où»! Seulement après le genre de verbes mentionnés ci-dessus.

3 Réfléchissez aux carrières et aux conditions de travail susceptibles de vous intéresser et improvisez oralement des phrases – sérieuses ou fantaisistes – du même style que dans le questionnaire.

- Commencez vos phrases en variant les verbes, comme dans le questionnaire:

  Je cherche   J'ai besoin de

  Il me faudrait. . . etc.

- Parlez par exemple des sujets suivants:

  un emploi   des collègues

  un(e) patron(ne)   un lieu de travail

  des horaires   un salaire

  une entreprise. . .

  Exemple: *Il me faudrait un salaire qui me permette d'impressionner les voisins.*

10 Vous aimeriez un emploi que vous puissiez facilement exercer à mi-temps. ☐

11 Il vous faut une activité qui n'exige pas d'études trop longues. ☐

12 Vous êtes attiré(e) par un emploi qui vous assure une ouverture sur le monde. ☐

13 Vous voulez une activité où il ne soit pas nécessaire d'être trop dynamique. ☐

14 Pour vous, l'idéal serait un emploi où l'on touche des revenus fixes. ☐

15 Vous recherchez une activité qui assure un degré d'aventure et d'incertitude. ☐

16 Vous avez besoin d'une carrière où vous puissiez bouger beaucoup. ☐

17 Vous êtes tenté(e) par une activité que vous puissiez exercer de chez vous. ☐

18 Vous voulez une activité qui vous permette de développer de nouveaux produits. ☐

4 On a parlé de petits boulots, de stages. . . et les emplois-jeunes, qu'est-ce que c'est?

Emplois-jeunes

A Ecoutez l'interview et relevez les faits suivants:

    a Date de création des emplois-jeunes

    b Raison de leur création

    c Taux de chômage chez les jeunes

    d Nombre d'emplois-jeunes prévus

    e Secteur concerné + exemples

    f Emplois ouverts à qui?

    g Emplois à long terme?

    h Financement

    i 1e objection soulevée + réaction

    j 2e objection soulevée + réaction

B Recopiez et complétez les notes ci-dessous à l'aide de l'extrait d'article (**feuille 4**), en cherchant cinq mots maximum dans le dictionnaire.

	Qui?	Quoi?	Quand?	Pourquoi?	Comment?	Où?
1	G.Berger	Recruté 2 jeunes				
2	Hanan R.					
3	Cécile H.					

C A l'aide de vos notes, répondez aux questions de votre prof par des phrases complètes.

5 **A** En vous basant sur **l'activité 4** et sur votre propre réflexion, discutez à plusieurs de l'aspect positif et négatif des emplois-jeunes.

B Ecoutez les arguments donnés par Zahoua et Dominique, afin de noter des idées supplémentaires ou des expressions utiles, à vérifier ensuite avec votre prof.

6 Voici un sujet de rédaction:

«Les emplois-jeunes: une réelle ouverture pour les jeunes ou une fausse solution?»

Aidez-vous de votre réflexion et de vos notes pour planifier votre rédaction. Reportez-vous à **Préparer un plan de rédaction (p65)**: suivant que vous êtes plutôt favorable ou défavorable aux emplois-jeunes, comment allez-vous organiser votre plan?

Rédaction: introduction

- L'introduction – souvent négligée – doit donner au lecteur l'envie de lire votre rédaction.

- Introduisez le sujet – comme dans un article de journal – comme si le lecteur ne connaissait pas le titre de votre rédaction.

- Essayez d'intéresser le lecteur. . . mais sans donner vos conclusions car il est trop tôt! Indiquez, si vous le désirez, la manière dont vous allez aborder la question.

Exemples:

Les emplois-jeunes, conçus pour offrir un premier pas dans la vie active, sont considérés par certains comme de faux emplois destinés à masquer la réalité du chômage. Vu l'ampleur du projet, qui vise à créer 350 000 emplois, il serait dangereux de se prononcer sans examiner les faits.	Sujet clairement exposé mais sans répéter textuellement le titre. Pour attirer le lecteur, cette introduction montre que les emplois-jeunes sont sujet à controverse. Deuxième phrase: fait concret qui aide à justifier la rédaction.
Cécile, assistante documentaliste. Zahoua, assistante de lecture. Deux jeunes parmi tant d'autres qui bénéficient du projet emploi-jeunes, un projet cependant très critiqué par certains partis politiques. Pour une fois qu'on essaie de s'adresser aux vrais problèmes des jeunes, il serait dangereux. . . (voir ci-dessus)	Exemples concrets (Cécile et Zahoua) qui aident à donner une dimension moins abstraite et plus humaine au sujet proposé.
«Faux emplois», «emplois bouche-trous», «ruse de politiciens». . . autant d'expressions employées par certains pour dénigrer les emplois-jeunes, qui visent pourtant à donner enfin une chance à ces milliers de jeunes victimes d'une économie malade. Pour une fois. . . (voir ci-dessus)	Citations-choc pour intéresser le lecteur. Style dynamique. Expression-choc («une économie malade») pour décrire l'importance du problème.

9 Ecrivez maintenant votre rédaction, en vous inspirant des introductions suggérées et en vous reportant à **Retravailler un brouillon (p73)**. Si vous le souhaitez, inspirez-vous aussi d'une des conclusions suivantes:

Alors comment peut-on parler de faux emplois? Les emplois-jeunes ne répondent pas tous précisément aux désirs des jeunes, mais il faut admettre qu'ils offrent une approche réaliste et concrète. L'essentiel, pour le gouvernement, est d'être vigilant afin d'éviter les échecs.

Devant de telles critiques et malgré certains exemples de réussite, il est difficile de prendre les emplois-jeunes au sérieux dans la mesure où ils risquent de créer une génération d'individus désenchantés. Il serait donc préférable d'encourager le secteur privé à créer de vrais emplois.

Bilan

● Entre autres choses, vous devriez maintenant savoir mieux:

– parler de vos expériences et de vos ambitions professionnelles
– retravailler un brouillon
– introduire une rédaction
– exprimer souhaits, intentions et éventualités (subjonctif).

Si vous êtes satisfaits de vos progrès, passez immédiatement aux activités ci-dessous.

Sinon, voici quelques suggestions:

– activité **3 p68** – recopiez le début de chaque phrase puis complétez-les à votre façon, en utilisant une conjonction au choix + subjonctif.

– imaginez que vous voulez faire un stage en France. Reprenez la lettre (**feuille 3**) et adaptez-la, oralement ou par écrit, à votre propre scénario.

– reprenez un travail écrit fait en début d'année (par exemple activité **9 p11**) et essayez de l'améliorer en vous inspirant de **Retravailler un brouillon** (**p73**): longueur des phrases, variété du vocabulaire...

– cherchez des articles de journaux ou de magazines sur des sujets à controverse et étudiez leur introduction.

A **a** Ecrivez une introduction de 30–50 mots sur ce sujet de rédaction:
   «Etudier ou travailler, il faut choisir!».
   Qu'en pensez-vous? Devrait-on interdire les emplois à mi-temps aux lycéens britanniques?

b A deux, faites une analyse critique de vos introductions respectives.

B Entraînez-vous à faire un dialogue semi-improvisé sur le thème suivant:
A souhaite travailler tout en étudiant, mais **B** trouve que c'est une mauvaise idée.

Conseils:

● appuyez-vous au maximum sur des arguments liés à l'expérience et à l'avenir professionnels: reportez-vous aux idées et au vocabulaire rencontrés dans cette Unité.

● avant de pratiquer à deux, regroupez-vous avec ceux qui ont décidé d'adopter le même rôle que vous et suggérez un maximum d'arguments en votre faveur.

● utilisez le subjonctif pour exprimer des souhaits et intentions (**p75**) ainsi que des éventualités (**p68**).

Quelles nouvelles?

Sujets traités	Points langue	Mieux communiquer	Techniques de travail
Les nouvelles dans le journal et à la radio **Opinions personnelles sur les journaux**	**Plus-que-parfait** **Pronoms d'objet direct** **Passif** **Préposition + infinitif** **Prononciation: liaisons**	**Rapporter des événements** **Registre parlé/écrit**	**Traduire en anglais** **Enchaînement d'une phrase à l'autre** **Comparer des ressources parlées et écrites** **Semi-improvisation orale** **Ponctuation**

Dans les journaux – quotidiens ou hebdomadaires – on trouve . . .

. . . des annonces immobilières . . . des offres d'emplois . . . des recherches d'emplois . . . des infos régionales . . . l'actualité nationale, internationale, politique, économique, sociale . . . des faits divers . . . des chroniques sportives . . . des pages arts et spectacles . . . des publicités . . . des colonnes littéraires . . . des chroniques mondaines . . . des articles sur la mode, la santé, la maison, le bricolage, le jardinage, la musique, la gastronomie . . . et bien d'autres choses.

1

A Vérifiez le vocabulaire ci-dessus (en groupe + dictionnaire) puis écoutez les six définitions. Quel genre d'articles décrivent-elles?

B Improvisez des définitions sur différents types d'articles.

> *Ces articles donnent des conseils pour la maison, par exemple pour la décoration ou les réparations.*

> *Des articles sur le bricolage!*

C Ecoutez les dix gros titres. A quel genre d'articles appartiennent-ils?

D Feuilletez un journal en langue française. Recopiez un titre d'article ou plus pour un maximum de catégories mentionnées ci-dessus.

2 Regardez la **feuille 1A** et faites des prédictions. Comparez-les ensuite avec les données de la cassette.

1 **A** Lisez le début de l'article puis mettez le reste (**a–i**) dans l'ordre.

Un policier lapidé devant son radar!

A Nice, un policier chargé d'un contrôle de vitesse a été blessé par deux motards.

Quand ils passent devant un contrôle de vitesse, les automobilistes applaudissent rarement.

a En effet, alors que des policiers installaient leur appareil, ils ont été attaqués à l'aide de pierres.

b Au contraire, ils ont plutôt tendance à faire des appels de phares pour alerter les autres automobilistes.

c Voyant qu'un contrôle de vitesse était en cours, ils semblaient avoir fait demi-tour.

d Il a fait l'objet d'une interruption temporaire de travail de huit jours mais il a été reconduit chez lui le soir même.

e Quelquefois – mais rarement – il est vrai que certains volent le ciné-momètre.

f C'est alors que le passager, cette fois armé de pierres, les avait jetées en direction de l'appareil devant lequel se trouvaient les deux policiers.

g Mais le cas le plus remarquable s'est produit mardi soir à Nice.

h L'un d'eux a été blessé à la cuisse et a dû être transporté aux urgences de l'hôpital Saint-Roch.

i Son collègue a expliqué ensuite que les deux motards responsables de l'attaque étaient d'abord passés près d'eux une première fois.

lapider:	*to stone*	phare (m):	*headlight*
motard (m):	*motorcyclist*	faire demi-tour:	*to turn round*
vitesse (f):	*speed*	cuisse (f):	*thigh*
pierre (f):	*stone*		

B Vérifiez maintenant l'ordre à l'aide de la cassette.
Attention: la cassette utilise des mots un peu différents.

2 Ecoutez ces phrases inspirées de l'article (**p80**) et entraînez-vous à faire les liaisons.

> Un contrôle de vitesse était en cours.
>
> Ils ont plutôt tendance à faire des appels de phares.
>
> L'un des hommes a décrit les agresseurs après avoir été soigné.
>
> Des policiers qui étaient en train d'installer leurs appareils ont été attaqués.

Techniques de travail

Liaisons

- On a tendance à moins faire de liaisons dans la langue familière. Exemple:

  ... étaient en train ...
  ou ... étaient en train ...

  ... ont été attaqués
  ... ou ... ont été attaqués ...

- On ne fait jamais de liaison après «et».

3 Traduisez ces expressions inspirées de l'article (**p80**). Les formes verbales ont quelque chose en commun: qu'est-ce que c'est?

a Deux policiers ont étés attaqués.

b Le commissariat a été contacté par un témoin.

c Un suspect a été interrogé.

d Il est déjà bien connu au commissariat.

e Il a cependant été relâché.

f Un autre suspect est maintenant détenu au commissariat.

g Il sera probablement interrogé sous peu.

Point langue

Le passif ▶▶ *pp162–3*

Deux policiers ont été attaqués. = On a attaqué deux policiers.
Two policemen were/have been attacked.

Un suspect est interrogé par la police. = La police interroge un suspect.
A suspect is being questioned by the police.
The police are questioning a suspect.

- Dans les phrases de gauche, les verbes sont au passif. Plus dramatique, le passif met l'accent sur les mots «policiers» et «suspect». Il s'utilise souvent dans les faits divers.

- **Formation:** être (au présent, passé composé, etc.) + participe passé
  Le participe passé s'accorde (*m/f*; *sg/pl*) avec le sujet:

  Deux policiers ont été attaqués
  «être» au passé composé
  «attaqués» s'accorde avec «policiers»

- Etudiez les phrases de l'**activité 3**: «être» est utilisé à quel temps?

- Pour plus de détails (phrases négatives, éviter le passif, etc.), voir **p163**.

4 Traduisez ce fait divers le plus vite possible. Attention au temps des verbes au passif.

> Une voiture de police a été volée. Les voleurs n'ont pas encore été retrouvés, mais deux femmes seront interrogées dans la soirée. Autrefois, les vols de cette nature étaient vite résolus. Aujourd'hui, les enquêtes sont souvent compliquées par l'indifférence des témoins.

5 Mettez les verbes au passif dans ces faits divers. Choisissez le temps à l'aide du contexte et faites attention aux accords. Attention à la position des adverbes pour **d** et **f**: voir **pp145–6**.

a Un dangereux criminel (arrêter) hier soir près de Rouen.

b Les deux malfaiteurs (juger) avant la fin de la semaine.

c Actuellement, le taux de criminalité (ralentir) à cause du mauvais temps persistant.

d On pense que de nouvelles mesures contre la criminalité (mettre en place) bientôt.

e Une troisième victime (découvrir) en début de journée par un policier.

f Autrefois, la campagne (affecter) peu par la criminalité.

g Certains estiment que la peine de mort devrait (rétablir).

6 Mettez ces infos au passif pour les rendre plus dramatiques.

a Un témoin a accusé deux lycéens de trafic de drogue.
(➠ Deux lycéens. . .)

b On a constaté une baisse du taux de criminalité six mois de suite.
(➠ Une baisse. . .)

c On a identifié les empreintes digitales de trois individus différents.

d On recherche Anatole Boujeat depuis une semaine.

e On annoncera le nom du juge en fin de soirée.

f On devra bientôt fermer certains commissariats de quartier par manque de crédits.

7 Jouez à 2–3 avec les cartes de la **feuille 1B**. Tirez une carte à tour de rôle et improvisez un gros titre au passif avec le verbe indiqué.
Exemple: annuler → Le concert d'Elton John a été annulé parce qu'il ne trouvait pas ses lunettes.

8 A Lisez l'article, écoutez la cassette et notez brièvement les différences en français.

B Comparez vos notes à plusieurs.

«L'article dit que. . . tandis que *whereas* la cassette dit que. . .»

C Regardez ces mots puis réécoutez la cassette pour noter les synonymes entendus.

a tranquille **b** un vol **c** *inhabituel* **d** un homme **e** *exact*

g à peu près **i** s'est échappé

f le truand **h** a demandé **j** *vides*

Un «papy braqueur» rafle 30.000F au Crédit lyonnais

SITUÉE à une quarantaine de kilomètres de Gien, la petite localité de La Charité-sur-Loire (Nièvre) est synonyme de quiétude. Pourtant, mardi à 15 heures, une attaque à main armée a troublé cette habituelle tranquillité.

Un «solitaire» s'est présenté, visage découvert, dans l'agence du Crédit lyonnais, rue Camille-Barrère. «*L'argent, et vite!*» aurait lancé cet homme qui, selon les deux employés et le client présents dans la banque, paraissait âgé de soixante ans environ. Assez grand et le crâne dégarni, vêtu d'une chemise claire, il «*ressemblait à Monsieur tout le monde*», à en croire certains témoins.

Jugeant sans doute que les deux employés ne lui donnaient pas satisfaction suffisamment rapidement, le «papy braqueur» n'a pas hésité à user de son arme, tirant un coup de feu vers le sol. Personne n'a été blessé.

Les collaborateurs du Crédit lyonnais ont remis 30.000F à l'individu qui a disparu à pied, dans ce quartier commerçant relativement fréquenté en cette heure de l'après-midi, sans attirer l'attention.

Les policiers du SRPJ d'Orléans (Service régional de police judiciaire), chargés de l'enquête, se sont déplacés à La Charité-sur-Loire afin de mener leurs investigations pour tenter de retrouver ce singulier «*papy braqueur*».

9 A Travaillez à 3–5 sur les messages distribués par votre professeur (**feuille 2**). Votre objectif: parler entre vous pour reconstituer le fait divers, puis le présenter (une personne par groupe) en bulletin-radio d'une minute. Attention:

- ne montrez vos messages à personne, pas même à votre groupe
- parlez uniquement par phrases complètes.

B Passez maintenant à la **feuille 3**.

Habitudes journal-radio

 1 Comparez cette interview avec l'interview enregistrée.
Quel style trouvez-vous le plus naturel? Pourquoi?

– Vous lisez régulièrement le journal?

– Je lis le journal quand mon père achète le journal. Généralement, je préfère la radio. Ça m'aide à me détendre et ça me permet d'entendre les toutes dernières nouvelles.

– Donc les nouvelles, ça vous intéresse?

– Je lis les nouvelles ou j'écoute les nouvelles si ça concerne des faits de société, par exemple.

– Et la politique?

– Je ne comprends pas vraiment la politique.

– Vous aimez les feuilletons?

– Uniquement à la radio. J'écoute les feuilletons si j'ai l'occasion, mais en fait, je ne suis pas régulièrement les feuilletons.

– Il vous arrive d'écouter la radio en langue anglaise?

– J'écoutais la radio en langue anglaise quand j'étais étudiant, mais moins maintenant.

– Et la presse britannique, elle vous intéresse?

– J'ai beaucoup lu la presse britannique pendant mes études, mais maintenant, non, assez rarement.

Point langue

Pronoms d'objet direct
▶▶ *p150*

● Les pronoms d'objet direct – «**le**», «**la**», «**l'**», «**les**» *it/him/her/them* – se placent immédiatement avant le verbe aux temps simples (sans auxiliaire) et à l'infinitif:

> *Le journal? Je **le** lis dans le train. Je ne **le** lis jamais au bureau. J'aimerais **le** lire plus souvent.*

● Aux temps composés (avec auxiliaire), ils se placent avant l'auxiliaire et le participe passé s'accorde avec le pronom:

> *Les articles sur Mitterrand? Je **les** ai vus, mais je ne **les** ai pas lus.*

● A l'impératif, notez la différence entre la forme affirmative et négative:

> *La radio anglaise? Ne **l'**écoute pas sur ondes moyennes. Ecoute-**la** sur grandes ondes.*

2 Pratiquez l'interview (**p84**) à deux, en évitant les répétitions par l'usage de pronoms.

3 Pour justifier ses opinions, l'interviewé (**p84**) dit: «ça m'aide à / ça me permet de» + inf. Utilise-t-on «à» ou «de» entre les verbes ci-dessous et un infinitif? Décidez puis inventez une phrase pour chaque verbe.
Exemple: **On devrait inciter les villes à améliorer les transports en commun.**

> **apprendre**   **passer son temps**   **s'efforcer**   **essayer**
>
> **finir**   **avoir du mal**   **risquer**
>
> **accepter**   **inciter (quelqu'un)**
>
> **chercher**   **perdre son temps**
>
> **encourager (quelqu'un)**   **empêcher (quelqu'un)...**

Point langue

Verbes + «à/de» + infinitif   ▶▶ *p154*

Il existe d'autres verbes suivis des prépositions «à» ou «de» + infinitif. Apprenez les plus utiles par cœur.

Parfois, «à» et «de» s'utilisent aussi entre un nom/adjectif/adverbe et un infinitif.

J'ai parfois l'occasion de voyager.

Ton accent est facile à comprendre.

Il a beaucoup à faire en ce moment.

4 A deux, à tour de rôle, posez les questions de l'interview (**p84**) avec «tu», ou inventez-en sur le même thème. Dans chaque réponse, utilisez un verbe suivi de «à» ou «de» + infinitif. Evitez les répétitions en utilisant des pronoms d'objet direct.

5 A deux, à tour de rôle, parlez 2 mn de vos habitudes journal et radio. Exploitez les points-langue (**p84–5**) le plus possible. Prenez des notes en écoutant pour poser des questions si nécessaire. Ecrivez ensuite un ou deux paragraphes pour résumer ce qu'a dit votre partenaire.

Techniques de travail

Ponctuation

On utilise «. . .» (des guillemets) pour:
- une citation *quotation* en milieu de phrase: Jenny admet qu'elle est « hyper obsédée» par certains magazines.
- une expression étrangère ou inhabituelle: . . . John aime bien «surfer» les gros titres.
- certains titres ou noms d'organisations: Elle lit quelquefois «The Sun» pour s'amuser.

On utilise plus de virgules *commas* en français, par exemple après les mots de liaison en début de phrase: Cependant, malgré tout son travail, il lit les nouvelles tous les jours.

Qu'est-ce qui s'est passé?

Hôtel Miramar incendié

Un témoin-clé a parlé avant d'être hospitalisé.

La police a révélé qu'un témoin avait donné de précieux renseignements à un ambulancier avant d'être hospitalisé. D'après les enquêteurs, apparemment,

1 Lisez l'extrait ci-dessus puis écoutez l'ambulancier pour remettre **a–f** dans l'ordre.

a dispute
b rencontre témoin-suspect
c objet suspect
d départ d'un visiteur
e arrivée du témoin
f arrivée de visiteurs

2 A Réécoutez l'ambulancier une ou deux fois mais sans interruptions. Prenez des notes.
Exemple: Témoin hôtel 7h → chambre.

B Préparez des phrases vraies/fausses au style indirect sur l'incident, puis lisez-les à votre partenaire.
Exemple: Le témoin a dit que le premier suspect était arrivé à l'hôtel après lui.

3 A Travaillez à deux. A tour de rôle, racontez au style direct un incident réel ou inventé. Prenez des notes sur l'incident décrit par votre partenaire.
Exemple: Un matin, devant le lycée, un enfant a essayé de. . .

B Racontez l'incident décrit par votre partenaire à quelqu'un d'autre, au style indirect.
Exemple: Damian m'a dit qu'un matin, devant le lycée, un enfant avait essayé de. . .

4 Ecrivez maintenant un article sur l'incendie de l'Hôtel Miramar. Décrivez le témoignage apporté par le blessé hospitalisé.

Techniques de travail

Varier le style écrit
Employez le style indirect en faisant attention au temps des verbes.
Pour varier, employez le style direct. Expressions utiles:
d'après. . . / selon. . . *according to*.

Style indirect et plus-que-parfait ▶▶ *p160*

- Notez le changement de temps du style direct au style indirect:

  «J'ai entendu une porte s'ouvrir.» . . . passé composé

  Le témoin a dit qu'il avait entendu une porte s'ouvrir. . . . plus-que-parfait

  La deuxième phrase utilise le plus-que-parfait parce que «il avait entendu» décrit un passé plus ancien que «Le témoin a dit».

- Verbes utiles (+ «que»/«qu'». . .) pour introduire le style indirect:
  dire, déclarer, répondre, expliquer, s'exclamer, assurer, annoncer, soutenir *to maintain*, affirmer *to state*, raconter *to tell*, signaler *to point out*.

  Au style indirect, «que» ou «qu'» est obligatoire:
  He said (that) he'd heard . . . ➡ Il a dit qu'il avait entendu. . .

- **Formation du plus-que-parfait**: voir **p160**.

- **Attention**: au style indirect on n'utilise pas uniquement le plus-que-parfait!

  Elle dit qu'il veut témoigner. *She says that he wants to. . .*

  Elle dit qu'il ira au tribunal. *She says that he will go. . .*

  Il a dit que le voleur portait une veste en cuir. *He said the thief was wearing. . .*

---

5 Lecture

Clandestins kurdes sur l'A7

Vingt-sept clandestins kurdes de Turquie, qui se rendaient en Allemagne, ont été trouvés sur le bord de l'autoroute A7, au sud de Valence, dans la nuit de lundi à mardi alors que le fourgon les transportant était tombé en panne. Les quatre hommes, 6 femmes et 17 enfants âgés de 6 mois à 12 ans, ont été repérés vers 3 heures par la gendarmerie.

Drogue

Plus de 8 kilos de bonbons à l'héroïne ont été saisis dans la région de Bologne, au nord de l'Italie. Aromatisés au miel ou au caramel, ces « friandises » fabriquées en Turquie étaient vendues entre 50 000 et 100 000 lires (de 160 à 324 F) l'unité. Ces bonbons évitent aux toxicomanes d'avoir recours aux seringues.

Autobus: bientôt au vert

Les autobus parisiens rouleront peut-être bientôt avec un nouveau carburant ressemblant à du lait mais qui est en réalité un gazole à l'eau – « l'Aquazole » –, dont le principal avantage est de réduire de façon notable les émissions polluantes. Le groupe pétrolier français Elf a annoncé hier qu'il avait réussi à mettre au point ce carburant « écologique », beaucoup moins polluant que le gazole classique.

6 Traduisez l'article ci-dessous en anglais. N'utilisez pas trop le dictionnaire (notez combien de fois vous l'utilisez).

Techniques de travail

Traduire en anglais

Une traduction doit être très précise: n'oubliez rien et n'ajoutez rien au sens contenu dans le texte.

Traduisez cependant en bon anglais:
- l'ordre des mots ou le nombre de mots n'est pas toujours identique en français et en anglais.
  Exemple: du papier d'aluminium = *tinfoil, et non pas aluminium paper.*
- il est quelquefois préférable de «jongler» un peu avec les mots.
  Exemple: l'engin qui a explosé – *the device that exploded → the explosive device.*

Attention au temps des verbes.

Cinq élèves d'un lycée technique de la région lyonnaise ont été entendus par la police pour les besoins de l'enquête à la suite de l'explosion, jeudi, d'une bombe dans leur établissement. La police a révélé que la bombe, qui était, semble-t-il, d'origine artisanale, avait légèrement blessé deux élèves et détruit les sanitaires d'un des bâtiments.

L'un des deux élèves hospitalisés «par prudence» paraissait en état de choc, tandis que l'autre avait inhalé de la fumée. Tous deux devront interrompre leurs études pendant une dizaine de jours.

L'engin qui a explosé était composé d'une recharge de bonbonne de gaz de camping reliée à une bouteille d'acétone par du papier d'aluminium. On croit savoir qu'en réalité les soupçons de la police se portent en particulier sur trois élèves qui protestent depuis quelque temps contre ce qu'ils considèrent comme une discipline excessive au sein de l'établissement.

7 Ecoutez ce témoignage et comparez avec le style de l'article (**p88**). Quel genre de différences remarquez-vous entre la langue écrite et la langue parlée? Demandez une transcription à votre prof si ça peut faciliter votre analyse.

8 Reprenez l'article (**p83**) sur le «papy braqueur» et entraînez-vous à décrire l'incident en langue parlée. Vous pouvez, si vous le souhaitez, inventer des détails supplémentaires, comme si vous connaissiez la ville en question.

9 Lecture

LE MONDE diplomatique

Grande-Bretagne: cuites en stock

Un million d'hommes britanniques – soit 1 sur 18 – se soûlent au moins une fois par semaine, selon un sondage effectué pour le compte de l'Autorité pour l'éducation sanitaire (HEA) anglaise et publié hier. Les jeunes de 16 à 24 ans sont les plus gros buveurs: quatre sur cinq affirment avoir bu plus de 4 pintes (2 litres) de bière dans une même soirée, et plus de la moitié d'entre eux disent le faire au moins une fois par semaine.

Couvre-feu pour adolescents écossais

Pour lutter contre la délinquance, la police écossaise a lancé hier une expérience pilote de couvre-feu pour les adolescents de moins de 16 ans. Des agents patrouilleront dès la tombée du jour.

Viande britannique saisie

La gendarmerie nationale a saisi hier à Bully-les-Mines, près de Lens (Pas-de-Calais), près de 40 tonnes de viande de bœuf d'origine vraisemblablement britannique qui devront être détruites. La viande faisait partie d'un lot de 140 tonnes placées sous contrôle douanier l'été dernier dans le cadre d'une enquête. Nombre des morceaux saisis portaient une estampille «UK» (United Kingdom, Royaume-Uni). Sur d'autres, l'estampille d'origine avait été découpée, laissant une marque très visible.

France-Soir

Bilan

Entre autres choses, vous devriez maintenant savoir:

– mieux parler de vos habitudes et de vos préférences journaux/radio
– mieux comprendre et décrire des faits divers
– rapporter des événements au style indirect
– mieux maîtriser les liaisons et la ponctuation.

Si vous êtes satisfaits de vos progrès, passez immédiatement aux activités ci-dessous.

Sinon, voici quelques suggestions:

– relevez des phrases dans des faits divers et mettez-les au style indirect.
Exemple: L'homme masqué a volé la caisse → Un témoin a expliqué que l'homme masqué avait volé la caisse.
– réutilisez les cartes de la **feuille 1B** (**activité 8 p82**) et faites des phrases au passif par écrit.
– pratiquez les liaisons avec l'article de la **feuille 3** (**activité 9B p83**), enregistré ici sur cassette.
– classez le vocabulaire rencontré dans les faits divers par catégories.
Exemple: verbes – **arrêter, interroger, soupçonner** . . .
criminels – **malfaiteur, truand** . . .

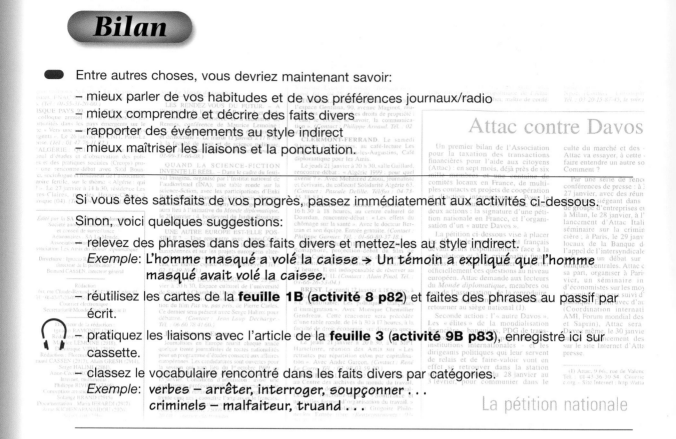

Inspirez-vous des dessins et du mini glossaire de la **feuille 4B** pour faire **l'activité A** ou **B**.
Vous êtes libre d'inventer des détails (un témoin, par exemple).
Utilisez au maximum les points grammaticaux et le vocabulaire rencontrés dans cette Unité.

A Vous êtes reporter. Vous êtes sur les lieux de l'incident et devez décrire les événements pour un reportage télévisé en direct, donc avec un minimum de notes.

B Seuls ou à plusieurs, écrivez un article de journal sur le fait divers.

Santé: les temps modernes

Sujets traités	Points langue	Mieux communiquer	Techniques de travail
Maladies et médecine des temps modernes	Subjonctif (expressions impersonnelles) Infinitifs comme noms «Ça rend/fait» «Dont» et «en»	Exprimer opinions et croyances Donner des définitions	Dictionnaire monolingue: recherche de synonymes Comparer différentes ressources écrites Traduction guidée en français

1 Vrai ou faux? Essayez de deviner puis vérifiez à l'aide de la cassette.

a Les Français consomment plus de tranquillisants que les Britanniques.

b Chez les Français, le stress est surtout lié au travail.

c Pour des raisons alimentaires, on vit moins longtemps en France que chez les voisins européens.

d L'alcool est le premier responsable des cancers.

e Les Français s'intéressent assez peu aux médecines alternatives (homéopathie, etc.)

f Plus de la moitié des Français sont en faveur des expériences médicales sur les animaux.

g Le sida est plus répandu en France qu'en Grande-Bretagne.

h La consommation d'alcool en France est en baisse.

2 **A** Répondez oralement aux questions suivantes à deux ou trois – en ajoutant quelques détails ou réactions si vous le souhaitez.

- Fumez-vous? Si oui, depuis combien de temps? Aimeriez-vous pouvoir arrêter?
- Buvez-vous régulièrement de l'alcool? Pensez-vous que vous buvez trop?
- Qu'est-ce qui vous préoccupe le plus: votre look ou votre santé?
- Faites-vous attention à ce que vous mangez? Si oui, pour des raisons de santé ou de look?
- L'idée de vieillir vous inquiète-t-elle?
- A quel âge est-on vieux?
- Qu'est-ce qui vous inquiète le plus, le cancer ou le sida? Pourquoi?
- Comment avez-vous tendance à réagir envers les drogués: avec indifférence, pitié, indignation, compréhension. . . ?

B Comparez vos réponses avec celles d'autres étudiants, en leur posant les questions qui vous intéressent mais en utilisant «tu». Vous pouvez montrer vos réactions à leurs réponses.

Ça ne m'étonne pas de toi!

Là, tu me surprends!

Je ne te crois pas!

Ah bon? Explique un peu.

Maladies d'aujourd'hui

1 **A** Quels problèmes liés à la santé vous inquiètent le plus?
Recopiez ceux-ci en commençant par le plus inquiétant.
Ajoutez ensuite le genre de ces noms: *m* ou *f.*

Techniques de travail

Genre des noms
Devinez – voir **p21** – ou
vérifiez dans le dictionnaire.

> **stress et dépression**   **sida**   **tabagisme**
>
> **cancer**   **handicaps moteurs**   **asthme**
>
> **anorexie**   **alcoolisme**   **obésité**
>
> **maladies cardio-vasculaires**
>
> **toxicomanie**   **maladies psychiques**

B Mettez vos trois premiers choix en commun pour
découvrir quels problèmes de santé inquiètent le plus votre
classe.

> *En première position,*
> *j'ai mis...*

2 **A** Tous ensemble, partagez brièvement vos réactions à
la question: **La vie moderne rend-elle malade?**
Notez ensuite cinq ou six brefs commentaires
personnels.

> *Je pense que oui, par*
> *exemple parce que ce qu'on mange*
> *est moins naturel...*

Vieux Papes.
A table, la France!

Vieux Papes

B Ecoutez la discussion enregistrée. Notez ✓ si vos
commentaires sont mentionnés dans l'interview
et ajoutez les autres commentaires que vous
entendez sous forme de notes.

Point langue

L'infinitif ▶▶*p153*

Regardez ces phrases inspirées de l'interview:

- Remarquez l'usage de l'infinitif comme sujet.
- Remarquez l'usage de: «ça rend» + adj. et: «ça fait» + inf.

  Travailler trop, ça rend malade. *Too much work makes you ill.*
  Conduire, ça fait augmenter les risques d'accidents. *Driving increases the risk of accidents.*

- Pour un style plus formel, on peut aussi dire:

  Travailler trop rend malade.
  Conduire fait augmenter les risques d'accidents.

- Autres exemples:

  Respirer lentement, ça rend moins nerveux.
  Dîner plus tôt, ça fait mieux dormir.
  Chanter sous la douche, ça rend heureux.

A Réécoutez la discussion de l'**activité 2** et prenez des notes chaque fois que vous entendez:

> **un infinitif utilisé comme sujet**   **«ça fait» + inf.**   **«ça rend» + adj.**

B Inspirez-vous des commentaires ci-dessous pour faire un maximum de phrases (pessimistes ou optimistes) commençant par un infinitif.

Exemples: **Manger très gras rend obèse.**
           Manger gras, ça donne du cholestérol.

De nos jours, . . .	
. . . on mange très gras.	. . . on est toujours pressé.
. . . on regarde sans arrêt la télé.	. . . on n'a pas le temps de dormir.
. . . on passe des heures devant son ordinateur.	. . . on vit dans des maisons surchauffées.
. . . beaucoup vivent en ville.	. . . on veut être hyper beau.
	. . . on refuse de manger de la viande.

4 «Tu es ce que tu manges», dit un proverbe. «On est foutus, on mange trop», chante Alain Souchon. En quelques décennies, les habitudes alimentaires ont traversé les continents. Vous avez cinq minutes pour faire correspondre chaque plat ou boisson à sa description. Avant de lire les descriptions, essayez de deviner le genre de vocabulaire que vous y trouverez.

a le coca-cola   **c** le chili con carne   **e** les pâtes   **g** le café
b le hamburger   **d** le sushi   **f** la pizza   **h** le couscous

1
Venu d'un pays célèbre pour sa cuisine saine et ultra simple et tirant ses ingrédients de la mer pour les servir crus et accommodés de vinaigre et de riz gluant, ce plat figure au menu des restaurants américains et européens depuis une vingtaine d'années.

2
Classé par les Français comme un de leurs cinq plats préférés, ce plat est originaire d'Afrique du Nord mais sa préparation – à base de semoule – diffère d'un pays à l'autre.

3
Rapporté de Chine par le Vénitien Marco Polo au XIIIe siècle, cet aliment, qui peut se servir en entrée ou en plat de résistance, s'accommode à toutes les sauces.

4
Né aux Etats-Unis dans les années 20, utilisé pour la restauration rapide dès la fin des années 40, ce plat est fréquemment sujet à controverse sur le plan diététique.

5
A l'époque de son invention par un médecin américain vers la fin du XIXe siècle, on lui donnait des vertus médicinales. Il a envahi l'Europe et le monde après la Seconde Guerre Mondiale, mais sa recette reste un secret bien gardé.

6
Au Moyen-Age, cet aliment nourrissait les pauvres. Exporté aux Etats-Unis par des immigrants au début du XXe siècle, il s'est enrichi de charcuterie et de fromage pour complémentariser sa tomate et son huile d'olive d'origine.

7
Devenu un classique parmi toutes les générations malgré son côté épicé, ce plat se compose de viande et de haricots rouges, originaires d'Amérique du sud.

8
Né en Arabie du Sud, cette boisson était à l'origine consommée par les hommes de prière pour les maintenir éveillés. Introduite en France au XVIIe siècle, elle a très vite conquis l'Occident.

5 Etre accro, ça peut être une maladie. Bien sûr, il existe des accros d'alcool ou de drogue, mais il existe aussi des fanas du chocolat ou des jeux, des obsédés du shopping ou des médicaments, des junkies de l'amour, du travail. . . et même du saut à l'élastique!

accrétion [akʀesjɔ̃] NF (*Géol*) accretion; (*Astron*) **disque d'~** accretion disk
accro• [akʀo] ABRÉV = **accroché** 1 ADJ
a (*Drogue*) **être ~** to have a habit (*arg*), be hooked•; **être ~ à l'héroïne** to be hooked on heroin• **b** (= *fanatique*) **être ~** to be hooked• 2 NMF addict; **les ~s du deltaplane** hang-gliding addicts
accroc [akʀo] NM **a** (= *déchirure*) tear; **faire un ~ à** to make a tear in, tear **b** [*réputation*] blot (**à** on); [*règle*] breach, infringement (**à** of); **fai-**

rrocessus d'agglomération d'éléments matériels quelconques. *Accrétion de nuages; de planètes.*
ACCRO [akʀo]. *adj. et n.* (1980; de [être] *accroché*). *Fam.* ♦ **1°** Dépendant d'une drogue. ♦ **2°** Passionné pour (qqch.). V. **Fana.** *Les accros du jazz.*
ACCROC [akʀo]. *n. m.* (déb. XVIᵉ, « croc »; « action d'accrocher », 1632; de *accrocher*). ♦ **1°** (1680). Déchirure
par ce qui accroch- ......

Quatre jeunes parlent du phénomène accro. Ecoutez-les et notez les mots qu'ils utilisent pour traduire les expressions ci-dessous:

obsessed	**a vicious circle**
a disease	**psychologically**
a dependency	**he is constantly repeating**
fanaticism	**an obsessional behaviour**

cartes à gratter: *scratch cards*

6 **A** Ecoutez sans interruption l'interview du professeur Ferdinand Lagardère, qui tente d'analyser le phénomène accro.

B Vous avez dix minutes maximum pour réécouter l'interview et prendre des notes sur les questions suivantes. Ne transcrivez pas de phrases complètes!

a Quelle est la différence entre un plaisir et une addiction?

b Pourquoi devient-on dépendant?

c Certaines personnes sont-elles plus vulnérables que d'autres?

d Les addictions sont-elles la faute du monde moderne?

douleur (f): *pain*
cerveau (m): *the brain*

C Comparez vos notes à plusieurs en parlant par phrases complètes, mais n'ajoutez rien à vos notes.

D Sans réécouter l'interview, rédigez vos réponses aux questions **a–d** – d'après le professeur Lagardère – par phrases complètes.

7 **A** Pour votre information personnelle, lisez les articles de la **feuille 1**, qui pourront aussi vous être utiles pour une rédaction vers la fin de cette Unité:
– entraînez-vous à lire à haute voix certains passages contenant des chiffres
– relevez d'autre vocabulaire utile sur le phénomène accro.

B Participez à une discussion de groupe en vous inspirant de tout le matériel rencontré sur le phénomène accro. Connaissez-vous d'autres exemples de dépendance non mentionnés jusqu'à maintenant? Connaissez-vous des gens victimes de telles obsessions? Comment expliquez-vous leur dépendance? D'après vous, quelles catégories d'individus sont le plus concernées? Le phénomène de dépendance semble-t-il varier avec l'âge?

8 Quels conseils donneriez-vous à un(e) ami(e) accro? Classez ceux-ci par ordre de préférence.

a Il vaut mieux que tu ailles voir un médecin.

b Il faut que tu en parles à tes parents.

c Il est préférable que tu caches ton problème le plus possible.

d Il est préférable d'aller voir un conseiller ou un psychanalyste.

e Il faudrait que tu apprennes à accepter ton problème, tout simplement.

f Il vaudrait mieux que tu en ries.

g D'ordinaire, il est conseillé d'en parler le plus possible autour de soi.

h Il est important de changer de milieu familial ou professionnel.

i Il est temps que tu suives un stage contre ton addiction.

j Il vaut mieux que tu partes en vacances pour essayer de tout oublier.

Expressions impersonnelles + subjonctif ▶▶*pp163–4*

Relisez les phrases de l'**activité 8**: quelles sont les sept phrases qui utilisent «que» plus le subjonctif, et les trois phrases qui utilisent l'infinitif à la place?

• Toutes les expressions impersonnelles utilisées dans l'**activité 8** peuvent s'utiliser avec ou sans le subjonctif:

il faut que + subj. *ou* + inf.   il est préférable que + subj. *ou* de + inf.
il faudrait que + subj. *ou* + inf.   il est conseillé que + subj. *ou* de + inf.
il vaut mieux que + subj. *ou* + inf.   il est important que + subj. *ou* de + inf.
il vaudrait mieux que + subj. *ou* + inf.   il est temps que + subj. *ou* de + inf.

Exemples:
Il vaudrait mieux que tu voies un médecin. *It would be best for you to see a doctor.*
Il vaudrait mieux voir un médecin. *It would be best to see a doctor.*

• Dans les exemples ci-dessus, remarquez encore une fois (voir **p63**) la différence entre les structures françaises et anglaises.

Point langue

1

«Maladie des temps modernes par excellence», disent les uns. «Rétribution divine», disent les autres. Fin 1995 – 17 ans après l'apparution de la maladie – la France comptait 18 000 malades vivants et 100 000 séropositifs. Le virus est seulement responsable d'un décès sur cent dans l'ensemble, mais responsable d'un décès sur cinq parmi les hommes de 30 à 34 ans. La fréquence du virus – découvert par une équipe française – a cependant commencé à diminuer en 1990.

On parle quelquefois d'épidémie – surtout parmi les adolescents – et depuis 1982, le nombre de décès enregistrés dépasse le nombre de morts par accidents de la route. 16% des Français déclarent avoir – au moins une fois dans leur vie – pensé à mettre fin à leurs jours, et 4% déclarent avoir essayé. Les femmes font plus de tentatives mais 75% des tentatives «réussies» concernent les hommes. L'accroissement est plus marqué dans les pays développés, et surtout dans le nord de l'Europe. Contrairement au chômage, l'alcool et le milieu familial sont les principales causes de ce phénomène.

2

9 **A** Lisez rapidement les cinq extraits ci-dessus. De quel problème – lié à la santé physique ou psychique – s'agit-il à chaque fois?

B Relisez les extraits. Lequel/lesquels fait/font référence à:

    a . . . des variations géographiques?

    b . . . des variations dans le temps?

    c . . . une catégorie d'âge?

    d . . . la prévention médicale?

    e . . . des variations selon le sexe?

    f . . . l'alimentation?

    g . . . la recherche française?

    h . . . la paralysie de toute une nation?

C Relisez les extraits une dernière fois puis travaillez à plusieurs. A tour de rôle, l'un(e) d'entre vous doit choisir un des cinq thèmes et demander à un autre membre du groupe de donner de mémoire le plus de renseignements possible sur ce thème.

3

Encore un virus qui coûte cher à la nation! Une année, il a été responsable de 30 millions de journées d'arrêt de travail en France: une grande épidémie peut donc désorganiser tout le fonctionnement du pays. Pourtant, la protection est beaucoup plus développée qu'en Grande-Bretagne, par exemple, dans la mesure où 10% des Français se font vacciner avant l'hiver.

4

44% des hommes, 29% des femmes. . . On consomme cependant de moins en moins, surtout chez les hommes. Les attitudes évoluent, la législation a imposé des interdictions dans certains lieux publics, surtout dans la restauration. Le prix – plus que le cancer du poumon et autres dangers – explique peut-être aussi cette baisse de la consommation.

5

Comportement plus prononcé chez les femmes – et les jeunes en particulier – cette consommation soudaine et excessive de nourriture suivie de vomissements ou d'un abus de laxatifs occasionne fréquemment la déshydratation et des désordres hormonaux ainsi que des déficiences en vitamines et en minéraux. Certains organes vitaux peuvent aussi être touchés.

10 Ecoutez ce reportage sur les problèmes liés au poids puis complétez la transcription (**feuille 2A**).

11 Votre style de vie peut influencer votre santé actuelle ou future.

A Interviewez un(e) partenaire sur son style de vie et sa santé en vous inspirant des thèmes rencontrés **pp92–97**. Prenez des notes. La personne interviewée peut – si elle le préfère – s'inventer un personnage.

B En vous inspirant de l'interview, écrivez un ou plusieurs paragraphes de conseils pour votre partenaire. Ecrivez à la deuxième ou à la troisième personne. Exploitez le subjonctif au maximum (voir **pp62–3**, **68**, **75**, et **95**) ou utilisez des structures qui vous permettent de l'éviter. Pour varier, vous pouvez aussi employer le conditionnel (voir **p40**).

Techniques de travail

Remplir des blancs
Ce genre d'activité peut vous aider à mieux prendre conscience de la structure d'une phrase ou d'un paragraphe.
Faites des prédictions avant d'écouter la cassette:

- Essayez de comprendre les idées malgré les blancs
- Examinez la construction des phrases. Est-ce qu'il faut:
  – un nom? un adjectif? un mot de liaison?. . .
  – un verbe conjugué? un infinitif?
  – un mot masculin ou féminin? singulier ou pluriel?
- Attention aux liaisons, qui peuvent déformer des mots qui se suivent.

«Il faut que je me soigne!»

1 Les Français parlent beaucoup de leur santé en général et de leur ligne en particulier (trop gros? trop maigres?), ce qui se reflète dans la langue.

A Faites correspondre ces expressions imagées avec les définitions **1–9**, uniquement à l'aide d'un dictionnaire monolingue.

   a Je ne suis pas dans mon assiette.

   b J'ai l'estomac dans les talons.

   c Avoir des abdos en tablette de chocolat.

   d Avoir la ligne haricot vert.

   e Avoir des poignées d'amour.

   f Avoir la tête qui tourne.

   g Ça boum?

   h Etre crevé.

   i Un goinfre.

   1 Personne dont la consommation alimentaire est excessive.

   2 Avoir un excès de graisse dont on aimerait se débarrasser autour de la taille.

   3 Avoir les muscles dont on rêve au niveau de l'estomac.

   4 Un symptôme dont on se plaint quand on a l'impression de perdre l'équilibre.

   5 Expression dont on se sert quelquefois pour décrire une personne très mince.

   6 Métaphore qu'on utilise quand on a très faim.

   7 Métaphore dont on se sert pour expliquer qu'on ne se sent pas très bien.

   8 Expression familière dont on se sert pour demander à quelqu'un si ça va.

   9 Expression familière qui signifie qu'on est très fatigué.

Point langue

Le pronom «dont» ▶▶ *p152*

- Regardez les phrases **6** et **9** ci-dessus. Vous comprenez pourquoi on utilise «qui» et «que», qui se traduisent souvent par *which* or *who?* Sinon, voir **p27**.

- Regardez les phrases **1**, **2**, **3**, **4**, **5**, **7** et **8**. Elles utilisent «dont», qui traduit généralement l'idée de *whose, of whom* ou *of which. Exemples:*

   a *person whose food intake is excessive.*

   b *excess fat [which] people would like to get rid of . . .*

   c *the muscles [which] people dream of . . .*

   d *a symptom [which] people complain about . . .*

   e *phrase [that is] sometimes used to . . .* (◀▬▬▬ *. . . of which people sometimes make use*)

- «Dont» s'utilise souvent avec des verbes ou expressions normalement suivis de la préposition «de»: se servir de, parler de, se plaindre de, avoir besoin de, se débarrasser de, rêver de.

   On se sert de cette expression ▬▶ C'est une expression dont on se sert.

- L'usage de «dont» n'est pas très simple. Apprenez donc quelques exemples par cœur.

- On peut souvent exprimer la même chose de différentes façons. Comparez **6** avec **7** ou **8** avec **9**, par exemple.

2 Regardez le mini glossaire ci-contre, qui explique le sens premier des mots. Expliquez ensuite les expressions familières ou imagées **a–e** à l'aide d'un dictionnaire monolingue. Utilisez le même style de définitions que dans l'**activité 1**.

a Avoir l'estomac barbouillé

b Pomper dur

c Se pinter

d Avoir une taille de guêpe

e Avoir le ventre plein à craquer

> barbouiller: *to smear, cover, slap on (paint, etc.)*
> pomper: *to pump, suck*
> pinte (f): *pint*
> taille (f): *waist*
> guêpe (f): *wasp*

Pour plus de pratique sur l'usage de «dont/que/qui», passez à la **feuille 2B**.

3 **A** Les remèdes traditionnels redeviennent populaires. . . et on prête à l'ail des vertus non seulement culinaires mais aussi médicales. D'après vous, ces commentaires sur l'ail sont-ils vrais ou faux?

a On s'en sert pour soigner certains maux de gorge.

b On s'en sert pour prévenir certaines infections de la gorge.

c On peut en consommer en gélules sans goût et sans odeur.

d On le recommande parfois pour éviter les cheveux blancs.

e On en prend parfois pour soigner les problèmes d'hygiène dentaire.

f Frais, certains l'utilisent pour éliminer les verrues.

g Certains thérapeutes en prescrivent pour faciliter les relations amoureuses.

h Il ne faut pas en abuser après 70 ans.

B Ecoutez l'interview pour vérifier vos réponses. Attention, tout n'est pas dans l'ordre.

Point langue

Le pronom «en» ▶▶ *p151*

La majorité des phrases **a–h** (**activité 3**) utilisent «en». A l'aide des notes ci-dessous, expliquez pourquoi dans chaque cas.

- «En» s'utilise dans des expressions de quantité:

> *Tu as vu plusieurs médecins?*
> *Non, j'en ai vu un seul.*
> *Je dois prendre combien de comprimés?*
> *Vous devez en prendre deux le matin.*

- «En» peut remplacer «du»/«de la»/«de l'»/«des» + un nom et se traduit généralement par *some* ou *any*:

> Si je fais de la gym pour mon dos? Bien sûr, j'en fais matin et soir. (*I do some. . .*)
> Tu as des idées de menus-régime? Moi, je n'en ai pas. (*I haven't got any*).

- «En» peut remplacer «de» + un nom, par exemple après certains verbes:

> J'ai besoin de médicaments ⟹ J'en ai besoin. (*I need some*)
> Je peux me servir de ta crème? ⟹ Je peux m'en servir? (*Can I use it?*)
> Discutez de votre problème en famille ⟹ Discutez-en en famille.
> Je me souviens de sa maladie ⟹ Je m'en souviens.

- Expressions utiles

> J'en ai assez. *I've had enough.*   J'en ai marre. *I am fed up.*

4 Certaines plantes sont dangereuses, mais il en existe 170 dont l'usage est autorisé par les autorités médicales. Complétez l'information ci-dessous avec **en**, **dont**, **qui**, **qu'** ou **que**.

a **Les clous de girofle** – Au XVIIIe siècle, on _____ utilise pour calmer les douleurs dentaires. Au XXe siècle, on découvre qu'ils contiennent une huile _____ on extrait des substances antiseptiques.

b **Le séné** – Plante _____ on recommande contre la constipation depuis le XIXe siècle.

c **La passiflore** – «Fleur de la passion» _____ on découvre les propriétés relaxantes au XVe siècle et _____ on prescrit maintenant en infusion ou en gélules pour mieux dormir.

d **Le gingseng** – «L'arbre de vie», _____ les Chinois utilisent depuis des millénaires pour ses vertus toniques.

e **L'ortie** – On peut _____ consommer dans la soupe, en infusion ou en gélules pour calmer les rhumatismes. C'est aussi une plante _____ on extrait des vitamines et minéraux _____ tonifient les cheveux et les ongles.

f **Les amandes** de pin vertes – Au XVIIIe siècle, on découvre qu'elles contiennent une huile _____ peut calmer les ardeurs sexuelles des femmes!

5 Le meilleur remède est – bien sûr – de ne pas en avoir besoin. D'où les méthodes préventives, qui peuvent aussi être curatives: alimentation saine, vitamines, activité physique régulière, style de vie pas trop stressant. . .
Vous allez maintenant écouter des extraits d'interview.

A Lisez bien les questions **a–g**, puis écoutez chaque extrait (**1–7**) seulement une fois si possible et faites-les correspondre aux questions.

   a Qu'est-ce que la médecine préventive?

   b Quels avantages peut-on tirer de la médecine préventive?

   c Existe-t-il un lien entre la médecine préventive et les maladies héréditaires?

   d La médecine préventive résoudra-t-elle plus de problèmes à l'avenir?

   e La médecine préventive pose-t-elle un problème moral pour le médecin?

   f Les tests prédictifs vont-ils devenir accessibles à tous?

   g Que font les laboratoires médicaux à ce sujet?

B En 8 mn, réécoutez les extraits et prenez des notes.

C Etudiez vos notes pendant quelques minutes, puis cachez-les. Entraînez-vous à plusieurs à répondre aux questions comme si vous étiez interviewés.

6 Le passage ci-dessous contient un certain nombre de structures étudiées dans cette Unité. Traduisez-le en bon anglais (voir **p88**).

L A MÉDECINE préventive fait parler d'elle, mais qu'en pensent les compagnies d'assurance? Aux Etats-Unis, on en tient déjà compte dans la mesure où certains individus prédisposés à la maladie se voient refuser des assurances. Le résultat? Ça fait baisser les risques pour les compagnies en question mais ça rend l'existence très incertaine pour les individus concernés.

Selon les autorités fédérales, il vaudrait mieux qu'on mette fin à ce genre de discrimination. Cependant, il faudra bien que l'on se rende à l'évidence, et les gènes dont les assureurs se préoccuperont le plus seront probablement ceux qui sont liés au cancer, aux troubles cardio-vasculaires, aux maladies infectieuses, à la nutrition et au système nerveux.

Autre conséquence possible de la médecine préventive: sur le marché du travail, recruter à partir de tests génétiques deviendra peut-être monnaie courante. Il devient donc urgent que tous les chercheurs réfléchissent aux conséquences morales et humaines de la génétique.

7 Choisissez un des deux commentaires ci-dessous et donnez vos réactions par écrit. Appuyez-vous sur des données précises rencontrées dans cette Unité, dans les **feuilles 1**, **3** et **4** ou à partir de vos recherches personnelles.

Alerte à la vie moderne: elle nous rend malades!

Avoir une bonne santé est une question de choix: «Aide-toi, le ciel t'aidera».

Bilan

Entre autres choses, vous devriez maintenant savoir mieux:

– parler des problèmes de santé actuels
– parler des nouvelles thérapies
– émettre des suggestions (expressions impersonnelles + subj.)
– comparer diverses ressources écrites
– donner explications et définitions («en», «dont/qui/que», «ça rend/fait»).

Si vous êtes satisfaits de vos progrès, passez immédiatement aux activités ci-dessous.

Sinon, voici quelques suggestions:

– réutilisez des expressions impersonnelles + subj. pour émettre des suggestions au sujet de la santé.
Exemple: **Il faudrait qu'on puisse voir un médecin sans rendez-vous.**

– improvisez des remarques sur la santé en commençant chaque phrase par un infinitif.
Exemple: **Dormir trop peu rend la concentration plus difficile au travail.**

– de mémoire, faites des phrases avec «en» pour expliquer les vertus de l'ail.

– pour réutiliser «dont/qui/que» improvisez des définitions basées sur des expressions anglaises comme *I could eat a horse* (voir expressions françaises, **activité 1 p98**) et demandez à quelqu'un de deviner vos expressions.

– pour faire le point sur votre vocabulaire, faites des listes de mots par thèmes.
Exemples: **thérapies   maladies/remèdes   verbes/noms/adjectifs...**

Choisissez un des thèmes ci-dessous et faites une ou plusieurs activités au choix.

«Pourquoi aider les drogués alors que la recherche médicale sur le cancer manque d'argent?»

«La médecine préventive est un vrai trouble-joie: il vaut mieux profiter de la vie au jour le jour.»

A **Exposé** (voir **p36**) – préparez-vous à faire un exposé à partir de brèves notes pour ou contre la citation de votre choix. Parlez devant le reste du groupe ou enregistrez-vous.

B **Exposé** (voir **p36**) – préparez-vous à faire un exposé à partir de brèves notes présentant différentes opinions possibles au sujet de la citation de votre choix.

C **Débat** (voir **p64**) – préparez-vous à un débat (4–5 personnes) sur la citation de votre choix.

D **Rédaction** – écrivez une introduction complète, un plan détaillé et une conclusion sur la citation de votre choix.

La ville en mutation

Sujets traités	Points langue	Mieux communiquer	Techniques de travail
Les villes changent **La campagne se vide** **Le logement**	**Subjonctif (doute et émotion)** **Pronoms «moi, toi. . .»** **Pronom «y»** **Prononciation:** sons -u-/-ou-/-au-/-eu-	**Activités de simulation** **Exprimer la déception** **Se plaindre** **Exprimer le besoin**	**Mieux réviser** **Réduire l'emploi du dictionnaire** **Résumer en français**

1 Quelle est la situation des villes et du logement en France? Devinez (vrai/faux) puis vérifiez à l'aide de la cassette.

a L'urbanisation française progresse plus lentement que dans le nord de l'Europe.

b Un Français sur dix habite dans la région parisienne.

c Les maisons sont plus populaires en France qu'au Royaume-Uni.

d On achète plus de logements en France qu'au Royaume-Uni ou en Irlande.

e Un Français sur dix possède une résidence secondaire.

f Les Français changent de résidence moins souvent que les Britanniques.

2 La ville a son vocabulaire bien particulier. Trouvez dans la liste **1–10** des synonymes exacts ou approximatifs aux mots de la liste **a–j** en vous aidant d'un dictionnaire bilingue ou monolingue, puis apprenez ce vocabulaire.

a un immeuble

b une municipalité

c un citadin

d l'entretien

e l'urbanisme

f la crise du logement

g le cadre de vie

h la vie associative

i l'explosion urbaine

j l'investissement immobilier

1 l'environnement   **2** le manque de résidences   **3** l'accroissement dramatique des villes

4 une ville   **5** les associations de loisirs, etc.   **6** un bloc d'appartements

7 les services de réparation, de propreté, etc.   **8** la création de logements

9 le planning d'une ville   **10** un habitant d'une ville

Les villes au microscope

1 Regardez la carte et les critères de sélection des villes.

A Recopiez ces critères selon votre ordre de priorité.

B Avez-vous d'autres critères à ajouter? Discutez-en à plusieurs. Reportez-vous si nécessaire au vocabulaire (**p103**).

> **Critère de sélection**
> Education
> Sécurité
> Soins à l'hôpital
> Entretien de la ville
> Pollution
> Travail
> Aide sociale
> Vie associative
> Transports en commun
> Espaces verts

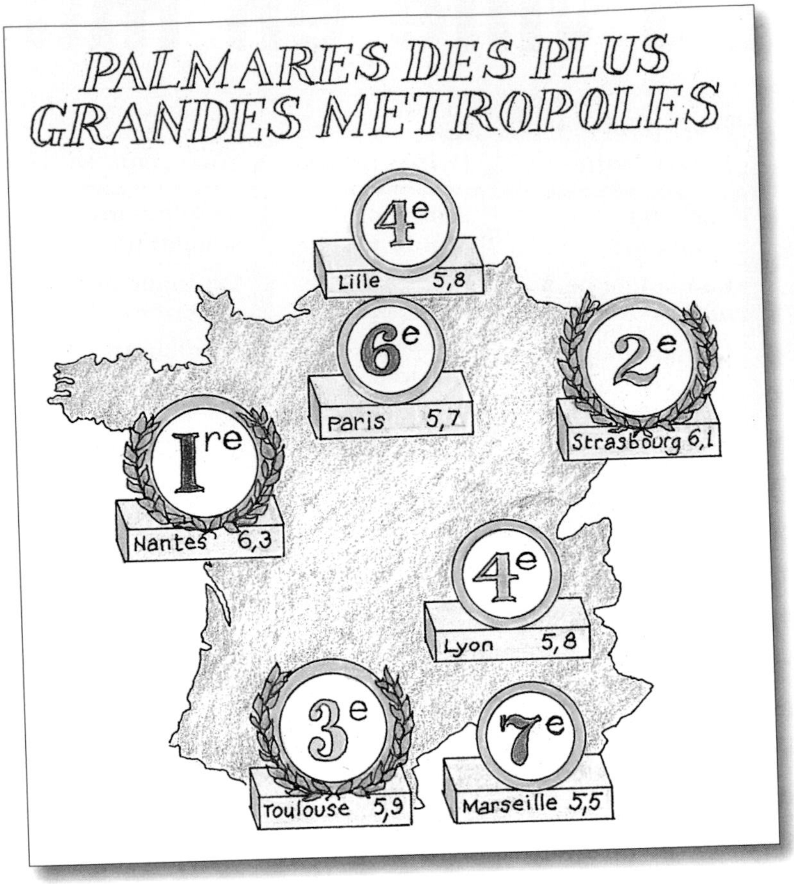

PALMARES DES PLUS GRANDES METROPOLES

4ᵉ Lille 5,8
6ᵉ Paris 5,7
2ᵉ Strasbourg 6,1
1ʳᵉ Nantes 6,3
4ᵉ Lyon 5,8
3ᵉ Toulouse 5,9
7ᵉ Marseille 5,5

2 Ecoutez ces trois personnes parlant de leur ville. Chacune se base sur plusieurs critères (voir **activité 1**).

A Notez leurs critères («éducation», «sécurité», etc.).

B Ecoutez à nouveau, prenez des notes, puis discutez à plusieurs de la personne qui semble la plus/la moins satisfaite de sa ville, et pourquoi.

> ## Techniques de travail
> **Prendre des notes à l'écoute**
> ◀◀ p36
> Que trouvez-vous le plus utile: prendre des notes en français ou en anglais?

3 Cherchez dans l'article (**p105**) l'équivalent français des expressions ci-dessous.

a spend just a few hours there. . .

b you will notice. . . there

c you can enjoy. . . there

d it's also hard to stay there. . .

e there one finds. . .

f you could make. . . there

g it's fairly easy to live there

h they ought to improve. . . there

i one should also develop. . . there

Aux yeux de certains, Lille représente toujours le symbole de la vieille industrie, des mines de charbon et de la métallurgie. Quelle erreur! Passez-y seulement quelques heures et vous y remarquerez un nouveau dynamisme, dû en partie à sa position géographique. Ainsi, on peut y apprécier le nouveau réseau TGV Lille Europe qui relie la métropole en un temps record à des villes telles que Nice, Bordeaux, ou même Londres ou Bruxelles. Il est également difficile d'y séjourner sans apprécier le vieux Lille des antiquaires et des boutiques anciennes, aussi bien que les centres commerciaux à la pointe du modernisme.

Même en politique – bastion traditionnel du prestige masculin – Lille n'a pas peur du progrès. Par rapport aux autres grandes métropoles, on y trouve maintenant le plus grand nombre de femmes candidates aux élections municipales. La ville a fait toutefois des mécontentes en fermant le centre de planning familial pourtant si renommé. Cependant, les femmes ont toujours leur mot à dire à Lille. En effet, on y trouve les associations les plus diverses, sur la vie de quartier, les mères célibataires, tous les thèmes liés à la vie urbaine contemporaine.

Lille n'est pas parfaite. Comme dans toute autre ville, on pourrait y faire encore beaucoup de progrès. Même s'il est assez facile d'y vivre, il faudrait y améliorer la sécurité dans les quartiers. On devrait aussi y aménager plus d'espaces verts, couramment plus limités que dans la majorité des autres métropoles.

Point langue

| **Le pronom «y»** | ▶▶ *pp150–1* |

- Les expressions de l'**activité 3** utilisent le pronom «y» *there* qui remplace un lieu (ville, etc.) déjà mentionné. Il s'utilise plus en français qu'en anglais, où il n'est pas toujours nécessaire (voir les phrases en anglais **activité 3**).

    Il faudrait y améliorer la sécurité.   *One ought to improve safety (there).*

- «Y» se place avant le verbe (ou avant l'auxiliaire «avoir/être»).

    Vous y remarquerez. . .   *(There) you will notice. . .*

- L'impératif est une exception:

    Allons-y!   *Let's go (there)!*

4 Utilisez maintenant les expressions relevées dans l'**activité 3** pour improviser des commentaires oraux sur votre ville, une ville proche ou votre région.

L'habitat se métamorphose

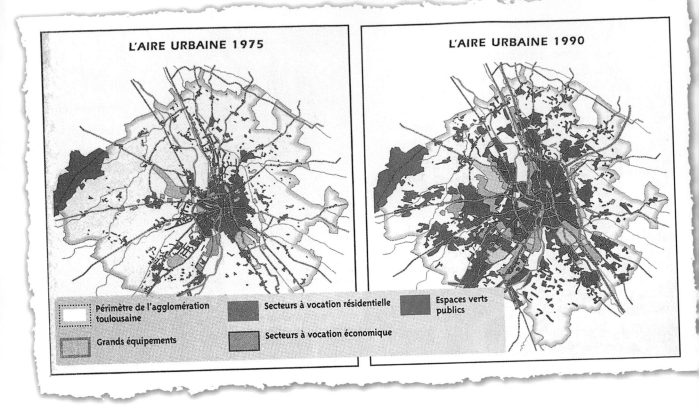

L'AIRE URBAINE 1975

L'AIRE URBAINE 1990

Périmètre de l'agglomération toulousaine

Grands équipements

Secteurs à vocation résidentielle

Secteurs à vocation économique

Espaces verts publics

1 Toulouse s'est beaucoup développée depuis les années 70. A plusieurs, comparez oralement les deux cartes ci-dessus. Voici trois questions pour vous aider à commencer. Que constatez-vous immédiatement? Les axes de circulation semblent-ils avoir beaucoup changé? Quelle en est la conséquence probable?

2 La croissance des villes répond à certains besoins, comme l'explique l'article **Petite ville deviendra grande (p107)**. Cherchez-y chronologiquement les mots correspondant aux descriptions ci-dessous. Vous pourrez réutiliser ce vocabulaire plus tard.

a la manière d'organiser (une ville, un parc, etc.)

b spécialistes de l'environnement des villes

c achat ou vente de logements ou de terrains à construire

d groupes de maisons individuelles

e l'extérieur, les environs

f des zones industrielles

3 Ecoutez **1–7**. Ça correspond bien à ce que dit l'article (**p107**), oui ou non?

Techniques de travail

• Réutilisez des verbes de l'**activité 3 (p104)**.

• Utilisez du vocabulaire comparatif:
par contre *on the other hand*; par rapport à *compared with*; tandis que/alors que *whereas* . . .
◀◀ **p59**.

Petite ville deviendra grande

Tandis qu'au Royaume-Uni, par exemple, l'Etat peut imposer certaines mesures, en France, l'aménagement d'une ville est maintenant sous la responsabilité du maire, qui demande bien sûr conseil à des urbanistes. Cependant, le pouvoir des municipalités n'est pas illimité, car il faut, entres autres, protéger les espaces naturels, certains sites historiques et certaines terres agricoles contre des opérations immobilières excessives.

Comment les villes ont-elles évolué depuis le début des années 80? Pour commencer, entre 1982 et 1990, 10 000 communes rurales (de moins de 2 000 habitants) sont devenues des villes. Durant cette même période, des lotissements ont été construits à la périphérie des villes. Cet «exode» a été renforcé par les nombreux centres commerciaux qui ont déserté les centres-villes pour l'extérieur. L'économie s'est aussi trouvée transformée par des parcs d'activités qui se sont implantés près des autoroutes et des aéroports: bons pour l'emploi et bons pour les communes grâce aux taxes payées à ces communes. Cependant, plus récemment, on a déjà commencé à constater que certaines villes restauraient maintenant leur centre, déserté par l'emploi, en créant des logements malheureusement très chers à louer.

Le résultat? Varié. Comme on le dit ici, «on ne prête qu'aux riches». Les villes qui ont pu attirer des entreprises – donc de l'argent et des emplois – ont bénéficié de la métamorphose des dernières décennies. L'Etat aide bien sûr les communes défavorisées, mais avec des résultats parfois très limités.

4 Pour pouvoir réutiliser du vocabulaire, il faut savoir le prononcer correctement. Le vocabulaire rencontré jusqu'à maintenant contient fréquemment les sons **-u-**, **-ou-**, **-au-**, **-eu-**.

A Ecoutez. Quel son entendez-vous? **-u-**? **-ou-**? **-au-**? **-eu-**?

B Ecoutez et répétez un son à la fois: **-u-**   **-ou-**   **-au-**   **-eu-**.

C Vous allez entendre six groupes de sons. Quel groupe entendez-vous chaque fois? **a**, **b**, **c** ou **d**?

   a   -ou-   -au-   -u-   -eu-

   b   -u-   -ou-   -eu-   -au-

   c   - eu-   -u-   -au-   -ou-

   d   - au-   -ou-   -eu-   -u-

D Prononcez les groupes de sons **a–d** ci-dessus plusieurs fois.

E Finalement, écoutez ces phrases puis entraînez-vous à bien les prononcer.

Il faudrait restaurer un réseau de locaux commerciaux à Bordeaux.

Les urbanistes sont unis depuis le début au sujet de la sécurité dans les communes.

Près des autoroutes autour de Toulouse, on trouve des boutiques toutes nouvelles.

Malheureusement, aux yeux de l'Europe, de nombreux lieux semblent trop vieux.

5 **A** Ecoutez l'interview de M. Dias, ancien maire d'une ville proche d'Orléans. Prenez des notes puis complétez les phrases ci-dessous pour résumer son opinion sur. . .

> . . . **la zone industrielle**   . . . **les nouveaux logements**   . . . **le nouveau maire.**

    a Avant, sans elle, . . .

    b Mais à cause d'elle, . . .

    c Grâce à eux, . . .

    d Cependant, à cause d'eux, . . .

    e Grâce à lui, . . .

    f Malgré lui, . . .

B Comparez ensuite à plusieurs.

6 Quel résumé reflète le mieux l'opinion de M. Dias (**activité 5**)? Discutez-en à plusieurs en réutilisant des détails de l'interview pour justifier pleinement votre choix.

a

La commune avait besoin de continuer à progresser – ne serait-ce que pour répondre à des besoins économiques – mais ce progrès, tout en créant des emplois, a créé malgré lui un certain anonymat dans l'identité de la commune.

b

L'expansion économique et démographique de la ville, tout en permettant à la commune d'entamer le nouveau millénaire la tête haute, a amené avec elle tous les problèmes typiques des grandes villes et de leur banlieue.

c

Le nouveau maire a fait de sa commune une ville moderne, dynamique et en pleine expansion. Grâce à lui, elle souffre beaucoup moins de sa tradition rurale et ressemble plus à une petite ville qu'à un gros village.

Point langue

Préposition + pronom ▶▶*p150*

- Les activités ci-dessus utilisent des expressions comme: «sans elle» *without it*, «grâce à eux» *thanks to them*, «à cause d'eux» *because of them*, «malgré lui» *in spite of him* et «avec elle» *with it*.

- Après une préposition («malgré», «avec», etc.), on utilise les pronoms ci-contre.
  Quelles autres prépositions connaissez-vous?

- Ces pronoms s'utilisent aussi pour mettre l'accent sur une chose ou une personne:
  Moi, je préfère vivre en ville.
  C'est lui qui veut s'installer à la campagne, pas elle.

moi –	*me*
toi –	*you*
lui –	*him/it*
elle –	*her/it*
soi –	*oneself* (◀▦▦▶ on)
nous –	*us*
vous –	*you*
eux –	*them* (m)
elles –	*them* (f)

---

7 Discutez à plusieurs des changements qui ont le plus touché votre ville ou votre région ces dernières années. Utilisez les expressions et les pronoms rencontrés ci-dessus le plus possible.
Exemple: **C'est vrai, la ville avait besoin du nouveau collège, mais à cause de lui. . .**

Votre bilan est-il plutôt positif ou négatif?

L'économie est liée de très près à l'aménagement des villes. La **feuille 1** vous en donne un exemple supplémentaire: le projet d'implantation d'un nouveau supermarché.

8

A Et la campagne? Que vous évoque cette photo? Comment vit-on dans ce village, d'après vous?

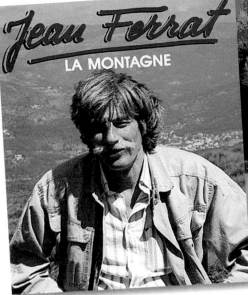

B Ecoutez maintenant la chanson «La montagne», de Jean Ferrat, en vous aidant des paroles (**feuille 2**).

9 **A** Lisez rapidement **Les oubliés du Berry** (**feuille 3**).

Techniques de travail

Réduire l'emploi du dictionnaire
Ne cherchez pas à tout comprendre.

● Aidez-vous d'indices (titre, sous-titre, chiffres, etc.).
● Paragraphes – essayez d'abord de comprendre le thème général. Regardez bien le début, les mots de liaison.
● Mots inconnus – pensez aux familles de mots (suffixes, préfixes). Essayez aussi de déterminer s'il s'agit d'un nom, d'un adjectif, etc.
● Utilisez le contexte et votre bon sens pour essayer de tirer des conclusions à partir de ce que vous comprenez.

B Comparez à deux ce que vous comprenez des points essentiels de chaque paragraphe.

C Lisez les notes ci-contre puis résumez l'article en français, seuls ou à deux (150 mots maximum). Vous pouvez commencer ainsi:

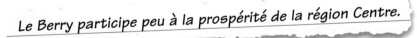

Le Berry participe peu à la prospérité de la région Centre.

Techniques de travail

Résumer en français

● Imaginez que votre lecteur ne connaisse pas le texte d'origine.
● Gardez seulement les idées principales. Limitez ou évitez les exemples.
● Si le texte semble logique, suivez sa chronologie. Sinon, améliorez-la.
● Vous pouvez réutiliser du vocabulaire d'origine, mais vous devrez parfois transformer un nom en verbe, par exemple. Ne recopiez pas de longs extraits.
● Pour résumer plusieurs phrases en une seule, utilisez des mots de liaison.

Priorité au logement

1 Regardez l'extrait de bande dessinée ci-dessus. «Un pavillon» = «une maison individuelle». Vous avez déjà été à une exposition de ce genre (maisons, meubles, voitures. . .)? D'après vous, qui visite fréquemment ce genre d'exposition? Quelle est l'ironie contenue dans cette bande dessinée?

2 Déménager est, paraît-il, l'un des événements les plus stressants. Utilisez les annonces immobilières de la **feuille 4**.

A Demandez d'abord à votre professeur de vous aider à comprendre les abréviations.

B A deux, trouvez le logement idéal pour chaque personne. *Exemple:*

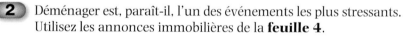

Techniques de travail

Parlez le plus possible, et uniquement par phrases complètes: ne lisez pas vos petites annonces textuellement.

L'étudiant(e) B doit parler autant que l'étudiant(e) A.

3 En France, comme au Royaume-Uni, on vit de plus en plus souvent seul (choix, divorce, etc.), d'où un besoin croissant de logements. Cependant, les opinions varient sur la construction de nouveaux lotissements. Ecoutez ces 10 commentaires et décidez à chaque fois: opinion positive (+) ou négative (-)?

4 Réécoutez les commentaires de l'**activité 3**. Vous avez ensuite 3 mn pour reconstituer les phrases qui reflètent des idées contenues dans l'enregistrement.

a Il est douteux que la ville
b Certains sont contents que du personnel
c On peut craindre que certaines écoles
d Financièrement, certains doutent
e Beaucoup sont contents
f D'autres ont peur que les services
g On ne peut pas nier que

1 qu'on sache satisfaire tous les besoins.
2 qu'on choisisse d'encourager l'emploi.
3 vienne s'installer dans la ville.
4 ça puisse surpeupler les écoles.
5 de santé soient saturés.
6 disparaissent.
7 réussisse à conserver son caractère.

Point langue

Le subjonctif (doute/émotion) ▶▶*pp163–5*

Les verbes exprimant le doute ou l'émotion utilisés dans l'**activité 4** sont tous suivis du subjonctif:

> il est douteux que. . .
> être content que. . .
> craindre que. . .
> douter que. . .
> etc.

Apprenez la liste plus complète (**pp163–4**).

Attention – subjonctifs irréguliers:
pouvoir ➡ puisse
savoir ➡ sache

5 A l'aide des notes ci-dessous, faites des phrases commençant par un verbe d'émotion ou de doute suivi du subjonctif.

Exemple: a **Certains retraités ont peur que trop de jeunes citadins viennent . . .**
Personnellement, je suis contente que plus de jeunes citadins. . .

a Jeunes citadins – venir s'installer dans le village
b Construction de HLM – faire prospérer l'industrie du bâtiment
c La dépopulation – faire fermer l'école primaire
d Un nouveau lotissement – pouvoir améliorer le look de la ville
e Le maire – choisir de créer une seconde zone industrielle
f Les riverains – choisir de quitter le quartier

6 Imaginez qu'on veuille transformer le logement dans votre ville:

a en construisant des logements bon marché
b en construisant des immeubles grand standing
c en ouvrant des parkings d'immeubles pour résidents
d en modernisant d'anciennes maisons.

Donnez vos réactions à **a–d** comme dans l'**activité 5** ou en recyclant d'autres usages du subjonctif (voir **pp62–3**, **68–9**, **75** et **95**). Faites le plus de phrases possible, oralement ou par écrit.

Ch. grd appart. à partager

Et si on partageait un appart? Histoire de se tenir chaud ou, plus prosaïquement, de faire baisser la facture... Toujours est-il que l'idée de partager son appartement avec un ou des inconnus ne fait plus peur aux Français. La formule, pratiquée depuis belle lurette outre-Atlantique, fait même de plus en plus d'adeptes à Paris. Ainsi, le succès de la rubrique Partages de logements, lancée dès 1993 par l'hebdomadaire *De particulier à particulier*, ne se dément pas. « Selon les semaines, entre 5 et 8 % des offres de location concernent une proposition de partage », indique la directrice de la communication du journal.

7 Lisez l'article tout en y cherchant ces mots, qui vous aideront à mieux le suivre.

Paragraphe 1: *to share* (p. . .)
a bill (une f. . .)
a weekly (un h. . .)
a private individual (un p. . .)

Paragraphe 2: *student-like* (e. . .)
a working person (un a. . .)
well off (a. . .)
a senior executive (un c. . . s. . .)

Paragraphe 3: *the rent* (le l. . .)
flat sharing (la c. . .)
cramped (é. . .)
square meter (m. . . c. . .)
surroundings (un c. . .)

Paragraphe 4: *a couple* (un m. . .)

8 Un résumé doit strictement respecter les idées du texte d'origine. Chaque phrase du résumé ci-dessous déforme le contenu de l'article. Corrigez-les en conservant cependant le plus possible la structure initiale de chaque phrase.

> La colocation est actuellement aussi populaire qu'autrefois parmi les Français, et surtout les Parisiens: 5 à 8% des annonces immobilières de l'hebdomadaire *De particulier à particulier* concernent des logements à louer, non pas à acheter. La colocation attire surtout les étudiants. La raison principale de ce choix est l'argent: en effet, ils n'auraient pas les moyens de vivre seuls. Un problème cependant: l'espace, car on doit partager avec les autres. En ce qui concerne les relations entre colocataires, il est préférable de garder ses distances.

Empruntée au mode de vie studiantin, la formule séduit aujourd'hui de jeunes actifs aisés : « Des urbains modernes qui n'ont pas la crainte de l'autre, qu'il s'agisse de provinciaux récemment installés à Paris ou des cadres sup' qui voyagent beaucoup », constate Denis Aubel, directeur de la publicité de l'hebdomadaire *J'annonce*, lui aussi doté d'une rubrique immobilière spécialisée.

Cadres célibataires, ces adeptes n'auraient, a priori, aucune difficulté à s'acquitter du loyer d'un petit appartement où ils pourraient vivre seuls. Il n'empêche. L'argument économique revient comme un leitmotiv : « Partager un appartement, c'est d'abord une question d'argent », assène cet architecte, fervent pratiquant de la « coloc ». Et la plupart avouent « ne pas supporter l'idée de vivre dans une surface étriquée ». Par exemple, Alexis, 32 ans, directeur de sociétés d'investissement, passe sa vie entre Paris, Londres et Bruxelles et partage avec deux personnes un appartement parisien de 260 mètres carrés : « Je bénéficie d'un cadre agréable et peux recevoir des copains à dîner, en n'acquittant qu'un tiers du loyer, qui s'élève à 18 000 F. Comme on s'entend bien, on avait même institué un dîner hebdomadaire, le lundi : chacun invitait ses amis, pour brasser des gens différents et faire de nouvelles connaissances. »

Savoir garder ses distances

Certes, chacun trouve son compte au partage. Mais beaucoup apprécient aussi le côté plus convivial de ce mode de vie, surtout à Paris, où un ménage sur deux est constitué d'une personne seule. Le plus important consiste quand même, pour la plupart, à savoir garder ses distances avec le *room mate*, comme disent les Américains. « Il faut trouver un juste milieu entre la franche amitié et la communication minimale style bonjour/au revoir, l'essentiel étant de ne jamais empiéter sur les plates-bandes de l'autre », explique Stéphanie, styliste de 22 ans, qui partage un appartement de 50 mètres carrés à 5 000 F par mois, dans le XIVe arrondissement, avec une jeune femme du même âge qu'elle, croupière dans un cercle de jeu parisien.

9 Ecoutez les commentaires sur les avantages et les problèmes causés par la colocation. Prenez des notes que vous pourrez ensuite comparer à plusieurs, et qui pourront vous être utiles pour l'**activité 10**.

10 Travaillez à trois (**A**, **B**, **C**). Vous voulez louer un logement ensemble en colocation.

A sait conduire et a quelques économies mais n'a pas de voiture et vient de perdre son emploi.

B vient de trouver son premier emploi dans le centre-ville, n'a pas de voiture et apprend à conduire.

C vient de trouver un nouvel emploi à une quinzaine de kilomètres de la ville, sait conduire et cherche à acheter une voiture d'occasion. Discutez de la situation.

– Allez-vous vous installer en ville, en banlieue, à l'extérieur de la ville?

– Quel type de logement allez-vous chercher?

– Quel genre de règles et de routines allez-vous établir dans votre logement pour vivre en harmonie?

Bilan

Entre autres choses, vous devriez maintenant:

- mieux traiter des facteurs concernant la ville, la campagne et le logement
- utiliser le subjonctif dans des domaines plus variés
- utiliser une plus grande gamme de pronoms
- mieux aborder un texte sans dictionnaire
- mieux résumer un long article ou ordonner vos idées par écrit
- mieux discuter d'un thème en développant un rôle imposé.

Techniques de révision

Pour un meilleur résultat, révisez un objectif (grammaire, technique de travail. . .) exploré dans une unité précédente, puis pratiquez en improvisant une activité basée sur une unité étudiée plus récemment.

Exemples:

- Point langue: l'imparfait (Unité 2 **p24**) – pour mieux montrer le contraste avec le présent, décrivez comment était votre ville il y a 10 ou 20 ans.
- Point langue: l'impératif (Unité 3 **p39**) – donnez des conseils positifs et négatifs à des amis qui envisagent la colocation.
- Techniques de travail: familles de mots (Unité 3 **p32**) – établissez des listes de familles de mot sur la ville, la campagne et le logement (*ex*.: louer, loyer, etc.).

A Faites une ou plusieurs des activités suggérées ci-dessus, ou improvisez une activité sur un objectif qu'il vous semble nécessaire de réviser.

B Ecrivez une lettre au choix:

a Expliquez à un(e) ami(e) que vous allez bientôt emménager en colocation avec une personne rencontrée récemment. Expliquez le genre de décision déjà prises par vous et votre colocataire, et décrivez vos émotions, vos espoirs et vos doutes.

b Expliquez à un(e) ami(e) si oui ou non vous avez l'intention de rester vivre dans la même région après vos études. Donnez vos raisons en vous basant le plus possible sur les thèmes développés dans cette Unité.

Planète grise

Sujets traités	Points langue	Mieux communiquer	Techniques de travail
La pollution urbaine et rurale	Expressions impersonnelles	Evaluer des faits et opinions	Ecoute: comment aborder un passage assez long
Les problèmes liés aux transports urbains	Pronoms d'objet indirect	Suggérer des alternatives	Conclure une rédaction
	Participe présent		Conseils d'examen (écoute et lecture)
	Prononciation: son [j]		

A
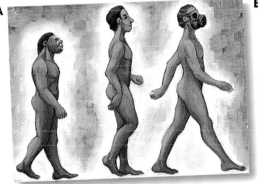

B

C

D

1 **A** Décrivez tous ensemble les photos ci-dessus et dites ce qu'elles évoquent. Par exemple, laquelle trouvez-vous la plus amusante? La plus évocatrice? La plus proche de vos préoccupations?

B A quelle photo se rapporte chacun des cinq commentaires enregistrés?

C Réécoutez les commentaires et notez les adjectifs que vous entendez.

D Et vous? Quelles formes de pollution (pas seulement visuelle) connaissez-vous? Donnez si possible des exemples concrets basés sur votre expérience.

On peut respirer?

1 Les expressions ci-dessous ont-elles un lien avec la pollution ménagère, industrielle, visuelle, atmosphérique, la pollution de l'eau, la pollution par le bruit ou la pollution due aux transports? Elucidez le vocabulaire tous ensemble afin d'éviter le dictionnaire.

> **fumées d'usine**   **panneaux publicitaires**   **piles de déchets**
>
> **embouteillages**   **asthme**   **réchauffement des océans**   **klaxons**
>
> **gaz d'échappement**   **maladies pulmonaires**
>
> **fermage intensif**   **matières non biodégradables**   **chiens**
>
> **recyclage insuffisant**   **mauvais services de nettoyage**

2 A Regardez les catégories ci-dessous. Quels doivent être, selon vous, les objectifs prioritaires en matière d'environnement? Etablissez votre classement de **1** à **8**.

A

La lutte contre le bruit

B

Les aménagements urbains (pistes cyclables, trottoirs, entrée de villes, zones piétonnières)

C

Le recyclage des déchets

D

L'amélioration des itinéraires routiers

E

La lutte contre la pollution atmosphérique

F

L'amélioration de la desserte ferroviaire

G

Le traitement des eaux usées et la qualité de l'eau

H

L'amélioration de la sécurité routière

Techniques de travail

Mieux écouter
Au lieu d'utiliser les mots ci-contre, l'enregistrement paraphrase ou utilise parfois des synonymes. *Exemple*: desserte ferroviaire ⟹ chemins de fer. C'est une des raisons pour lesquelles il est utile d'apprendre des synonymes.

B Ecoutez ce rapport de sondage sur l'opinion des Franciliens (habitants de Paris et de sa région, l'Ile-de-France). Leur classement correspond-il au vôtre?

3 A Ecoutez les mots ci-dessous. Quel son – représenté par le symbole phonétique [j] – ces mots extraits de l'**activité 2** ont-ils en commun?

> **pollution**   **routière**   **piétonnières**   **amélioration**   **routiers**
>
> **ferroviaire**   **Franciliens**   **prioritaires**   **bruyant**   **industriel**

Le son phonétique [j] se rencontre quand une voyelle suit la lettre **-i-** ou **-y-**.

B Réécoutez et répétez les mots.

C Entraînez-vous à prononcer ces phrases avec la cassette:

L'amélioration du réseau routier francilien est un objectif prioritaire.

Les piétons ont signé une pétition pour la multiplication des zones piétonnières.

Si nous faisions plus attention, nous n'aurions pas de quartiers aussi bruyants.

4 **A** Lisez l'article ci-dessous. Quels mots introduisent le mieux les paragraphes?

par. 2: Bien sûr/La semaine dernière/ Ainsi

par. 3: A tel point que/Par exemple/En effet

par. 4: Quelquefois/Même/Certes

par. 5: Cependant/En effet/A tel point que

par. 8: Mais attention/Dernier détail/Principaux accusés

L'air sent le soufre. . .

Si elles sont encore loin de connaître la situation de villes comme Mexico, Los Angeles ou Delhi, les villes françaises souffrent de plus en plus de la pollution de l'air. Une pollution aux effets graves sur la santé. L'anticyclone qui a protégé la France de la pluie, les semaines passées, a eu un autre effet, indésirable celui-là. Le plus souvent, les multiples pollutions atmosphériques (pots d'échappement, fumées d'usine. . .) sont entraînées par les vents, diluées, dispersées.

_____ , c'est le contraire qui s'est passé : les masses d'air immobiles ont formé comme un couvercle emprisonnant les pollutions. Du coup, l'air est devenu irrespirable dans de nombreuses villes : Lyon, Paris, Lille, Marseille, Nancy. . .

_____pour protéger la santé des habitants, certains préfets ont pris des mesures d'urgence (limitation de la circulation des camions. . .) pour tenter de faire baisser le niveau de pollution.

_____ , en France on est loin de la situation d'une ville comme Mexico où la pollution est permanente, et si importante qu'elle empêche toute l'année d'observer le soleil ou les étoiles ! Mais c'est suffisamment inquiétant pour qu'associations, responsables, médecins . . . se mobilisent.

Des maladies respiratoires
▼

_____ la pollution atmosphérique a de graves effets sur la santé. Le dioxyde d'azote (produit par les véhicules à moteur), par exemple, attaque les bronches (le maximum admis est de 150 mg (microgrammes) par m3 d'air et par jour. La semaine dernière on a parfois dépassé 550 mg !).

D'autres gaz affectent les asthmatiques, brûlent les yeux, provoquent des troubles chez les bébés ou les personnes âgées, des cancers. . .

À Delhi (Inde), la quatrième ville la plus polluée au monde (12 millions d'habitants), on estime que 7 500 personnes sont mortes en 1996 directement des suites de la pollution et que 12% des enfants souffrent d'asthme ! En France, en 1996, on estime à plus de 1 000 le nombre des décès (selon le réseau national de la Santé publique, mais qui ne prend en compte que deux polluants possibles), et à 5 700 celui des hospitalisations pour affections respiratoires directement causées par les pollutions.

_____ : les transports, et notamment les 30 millions de voitures (en France) et les 5 millions de véhicules utilitaires (camions, autocars, bus, tracteurs. . .). À eux seuls, ils représentent 70 % de la pollution atmosphérique ! Mais peut-on aujourd'hui s'en passer ou en diminuer le nombre ?

B Complétez les phrases ci-dessous, qui résument chacune un paragraphe de l'article.

> Les villes françaises sont de plus en plus _____**a**_____ de la pollution de l'air. Ainsi, récemment, l'absence de vent au-dessus des grandes villes a rendu l'air _____**b**_____. D'où les mesures d'urgence anti-pollution prises pour raisons _____**c**_____. Des villes comme Mexico connaissent une pollution bien plus sérieuse, mais les responsables _____**d**_____ s'inquiètent cependant. En effet, la pollution atmosphérique – due par exemple au dioxyde d'azote – _____**e**_____ sérieusement les bronches. D'autres gaz provoquent troubles et maladies dans différentes tranches d'_____**f**_____. En 1996, la pollution a _____**g**_____ 7 500 morts à Delhi et plus de 1 000 en France, sans compter les hospitalisations. On _____**h**_____ essentiellement les voitures et les véhicules utilitaires, mais peut-on s'en passer?

5 On interviewe Fabrice Cachan, membre d'une équipe de surveillance de la pollution atmosphérique à Paris, et Nathalie Brac, membre d'un groupe écologiste.

A Faites ces prédictions sur Paris, puis écoutez les interviews pour vérifier:

a La pollution atmosphérique est-elle en augmentation constante?

b La situation est-elle officiellement légèrement grave, assez grave ou très grave?

c Faut-il actuellement donner la priorité aux mesures préventives ou curatives?

d Les problèmes sont-ils dûs au manque de législation ou à sa mauvaise application?

B Ecoutez à nouveau. Qui parle des thèmes **e–j**? M. Cachan, Mme Brac ou les deux?

e La nécessité de favoriser les transports publics.

f La nécessité de revoir l'utilisation des voies de circulation urbaine.

g Faire des prévisions atmosphériques sur plus de 24 heures.

h Les problèmes de santé dûs à la pollution atmosphérique.

i La répartition géographique de l'industrie.

j La nécessité de revoir l'usage des combustibles.

C Ecoutez une dernière fois et notez des détails sur les points **e–j** ci-dessus. Parlez ensuite à plusieurs, par phrases complètes, pour comparer vos notes.

Techniques de travail

Ecouter un long passage

- Commencez toujours par lire l'activité, qui vous donne généralement une idée des thèmes et du vocabulaire que vous allez entendre.

- Ecoutez ensuite tout le passage pour vous familiariser avec le thème global. Les pauses, les mots qui les suivent et les répétitions peuvent vous aider à mieux suivre.

- En examinant le passage plus en détail, essayez de décider si les mots difficiles semblent être des verbes, des adjectifs, etc.

- Aidez-vous de votre bon sens et de votre expérience, mais ne vous bloquez pas: révisez vos hypothèses initiales si ce qui suit les contredit.

Point langue

Participe présent (gérondif)

▶▶ *pp157–8*

Lisez ces phrases tirées des interviews ci-dessus:

Il faut agir en limitant la circulation urbaine.
La législation punit la pollution existante tout en ignorant le domaine préventif.

«Limitant» et «ignorant» sont des participes présents: **-ant** correspond souvent à **-ing** en anglais.

- Le participe présent est souvent précédé de la préposition «en» (ou «tout en») et peut se traduire de plusieurs manières:
    en limitant *by limiting*
    tout en ignorant *while ignoring*

- Formation basée sur le présent avec «nous»:
    continuons ➡ continu- ➡ continuant
    Exceptions:
    avoir ➡ ayant
    être ➡ étant
    savoir ➡ sachant

6 Chacune des phrases enregistrées contient un participe présent. Écrivez le participe présent et son infinitif.

Exemple: 1 Choisissant – choisir

7 A deux, entraînez-vous à former des participes présents le plus vite possible.

Exemple:

(*Choisir*) (*Choisissant*)

8 Lisez les extraits d'articles, puis faites oralement un maximum de phrases contenant des participes présents pour expliquer les mesures prises contre la pollution atmosphérique.

*Exemple: **Rome limite la pollution atmosphérique en interdisant. . .***

A Rome, on interdit la circulation dans le centre tous les jeudis après-midi, de la mi-novembre à la mi-mars.

En Norvège, il faut payer un péage à l'entrée des grandes villes, ce qui décourage les automobilistes.

Au Danemark, Copenhague met des vélos à la disposition des entreprises.

A Strasbourg, le centre-ville est quasiment interdit aux voitures.

A Athènes (Grèce), les voitures ne peuvent circuler qu'un jour sur deux, selon que leur immatriculation est paire ou impaire. Mais nombre d'Athéniens ont. . . deux voitures.

A Tokyo, les taxis roulent au gaz.

En Californie, le covoiturage est quasiment obligatoire (les personnes d'une même entreprise s'arrangent pour voyager dans une seule et même voiture).

En Allemagne, on interdit l'usage des voitures sans pot catalytique les jours de grande pollution.

 9 Activité orale ou écrite. Ajoutez aux idées contenues dans les extraits de **l'activité 8** en complétant la liste ci-dessous. Vous pouvez mentionner vos propres idées et/ou vous inspirer de l'**activité 6**, mais vous pouvez seulement réécouter l'enregistrement une fois, et sans interruption.

On pourrait limiter la pollution atmosphérique en ville:

– en interdisant toute circulation les jours de grande pollution
– en. . .

Et la campagne?

1 Tout comme les villes, la campagne est victime de certaines formes de pollution. En huit minutes et sans dictionnaire, lisez l'article et répondez aux questions. Quel paragraphe:

a . . . compare la pollution chimique à la pollution ménagère?

b . . . mentionne un livre de référence sur les facteurs agricoles de cause à effet?

c . . . fait référence à la pollution atmosphérique à la campagne?

d . . . explique l'évolution historique de l'irrigation? (au choix)

e . . . suggère une réflexion nouvelle sur les problèmes agricoles?

f . . . mentionne que l'agriculture peut cependant aider à protéger les zones écologiques?

g . . . introduit les problèmes essentiels?

h . . . mentionne l'existence de zones écologiques?

i . . . mentionne la pollution par les carburants et/ou produits chimiques? (au choix)

ENVIRONNEMENT
L'agriculture de plus en plus gourmande et polluante

L'irrigation a été multipliée par trois en 25 ans, voire par dix dans certaines régions.

1 L'AGRICULTURE est de plus en plus gourmande et polluante, selon une étude de l'IFEN (Institut français de l'environnement), publiée hier et qui dresse un constat inquiétant.

2 L'irrigation a ainsi été multipliée par trois en 25 ans, voire par dix dans certaines régions, tandis que l'agriculture est responsable des deux-tiers de la pollution des eaux par les nitrates.

3 L'ouvrage de l'IFEN, intitulé «Agriculture et environnement: les indicateurs», dresse pour la première fois un tableau exhaustif de l'ensemble des effets de l'agriculture sur le milieu.

4 De 1970 à 1995, les terres irriguées sont passées de 536,000 hectares à 1,620,000 hectares. Le mouvement s'accélère et les experts estiment que l'on approche les 2 millions d'hectares en 1997. En Poitou-Charente, la superficie irrigable a été multipliée par dix.

5 36% du territoire est considéré comme «*vulnérable*», au regard de la directive européenne sur la pollution des eaux par les nitrates d'origine agricole. On est passé de 81 kg/ha de fertilisants en 1970, à 134 en 1993.

6 La pollution phosphatée de l'agriculture est moindre que celle des rejets domestiques – dûs en particulier aux lessives avec phosphates – mais elle a tendance à croître dans les départements qui sont déjà les plus touchés.

7 Logiquement, les espaces agricoles abritent «*un patrimoine écologique à forte valeur patrimoniale*». Plus de 15% de ces espaces sont classés au niveau européen en ZNIEFF, c'est-à-dire en Zone naturelle d'intérêt écologique pour la faune et la flore.

8 Mais ce patrimoine naturel, selon le constat dressé par l'IFEN, est menacé, soit par l'intensification des pratiques agricoles, soit par la disparition de l'agriculture dans certaines régions. Car si l'activité agricole est souvent devenue agressive pour la nature, elle garantit aussi «*un tissu social vivant et l'entretien des espaces et des paysages, notamment en montagne où les pratiques sont restées respectueuses de l'environnement*», note l'IFEN. Si l'urbanisation et les infrastructures ferroviaires et routières ont un grand impact, l'agriculture modèle aussi les paysages.

9 L'agriculture ne pollue pas que l'eau, mais également l'air et contribue à l'effet de serre, lui-même un des facteurs des changements climatiques. Pas de CO_2 (dioxyde de carbone) qui progresse surtout grâce aux transports routiers, mais beaucoup de méthane. Les élevages relâchent en effet 1,6 million de tonnes de méthane par an, soit 53% de toutes les émissions de ce gaz en France, devant les décharges d'ordures ménagères.

10 La montée des problèmes environnementaux amène à repenser les systèmes de production agricole.

Les idées contenues dans l'article vous seront utiles pour l'**activité 3**. Pour une étude plus détaillée de l'article, vous pouvez passer à la **feuille 1**.

2 **A** Lisez la lettre (**feuille 2A**) puis expliquez chaque paragraphe avec vos propres mots.

*Exemple: **M. Desbois dit que critiquer l'agriculture est à la mode, mais qu'on ne devrait pas tout critiquer.***

B Ecoutez les commentaires **1–7** sur la lettre et répondez de mémoire: vrai ou faux?

3 **A** Ecrivez un plan de rédaction sur le thème: ***L'agriculture est-elle trop gourmande?*** Pour plus d'idées, regardez la **feuille 2B**.

B Rédigez l'introduction (voir **p77**) et une partie au choix de votre rédaction (voir **p65**).

C Relevez dans les conclusions **a–d** des expressions utiles pour conclure une rédaction.

a *En conséquence, j'estime donc que malgré les bienfaits indéniables de l'agriculture moderne il est indispensable d'imposer certains contrôles afin de minimiser les dégâts chimiques et atmosphériques. Apprenons à mieux protéger notre planète.*	**b** On constate donc que même si les efforts de l'agriculture bio répondent à certaines nécessités morales, il semble plus raisonnable de continuer la recherche scientifique afin de découvrir des produits chimiques moins polluants.
c Les faits sont là: une agriculture obsessive et mal contrôlée abuse de notre air, de notre énergie, de notre planète. Alors le gouvernement ne doit plus attendre et doit encourager et subventionner une agriculture plus humaine et plus respectueuse de la nature.	**d** Malgré les méfaits de l'agriculture et du fermage intensifs, on constate donc que la méthode bio est une approche trop idyllique qui ne correspond pas aux nécessités de notre époque actuelle. L'agriculture représente effectivement un certain danger pour l'environnement, mais ceci n'est rien à côté de la pollution urbaine, qui doit donc être considérée en priorité.

D Quelle conclusion va le mieux avec votre plan de rédaction? Si aucune ne vous convient exactement, écrivez la vôtre tout en vous inspirant de **a–d**.

Techniques de travail

Ecrire une bonne conclusion

- On doit voir clairement qu'il s'agit d'une conclusion (mots de liaison).
- Longueur: ni trop, ni trop peu.
- Montrez un lien avec ce qui précède, aussi bien pour résumer votre opinion que pour émettre des suggestions.
- Dans le cas d'un thème «pour ou contre», résumez votre opinion sans introduire de nouveaux arguments mais sans répéter des phrases déjà utilisées. Vous n'êtes pas obligés de vous prononcer pour ou contre à 100%.

On peut circuler?

1 Le transport représente un sérieux problème pour l'environnement. Ici, nous nous concentrons sur l'environnement urbain.

A Les expressions ci-contre contiennent probablement quelques mots inconnus. Aidez-vous du contexte pour identifier:

a un organe humain

b un métal

c un synonyme de «niveau»

d un mot collectif pour maisons, immeubles, etc.

e une somme d'argent à payer à la police.

B Classez les expressions: s'agit-il d'une cause ou d'une conséquence de la circulation urbaine?

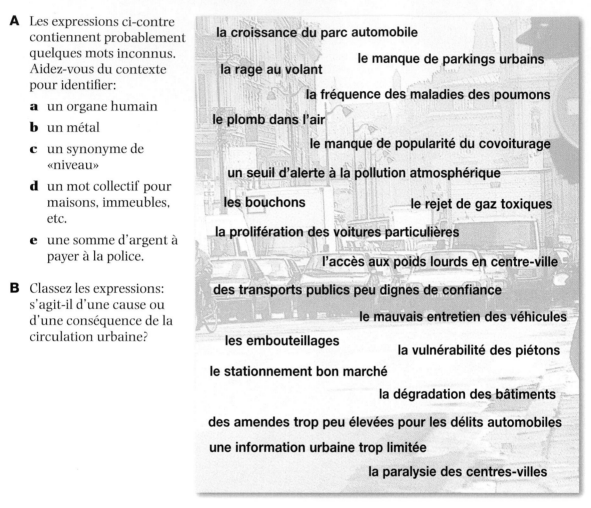

la croissance du parc automobile

le manque de parkings urbains

la rage au volant

la fréquence des maladies des poumons

le plomb dans l'air

le manque de popularité du covoiturage

un seuil d'alerte à la pollution atmosphérique

les bouchons

le rejet de gaz toxiques

la prolifération des voitures particulières

l'accès aux poids lourds en centre-ville

des transports publics peu dignes de confiance

le mauvais entretien des véhicules

les embouteillages

la vulnérabilité des piétons

le stationnement bon marché

la dégradation des bâtiments

des amendes trop peu élevées pour les délits automobiles

une information urbaine trop limitée

la paralysie des centres-villes

2 Complétez le passage ci-dessous, d'abord en essayant de deviner des mots possibles (voir **p97**) puis à l'aide de la cassette. Utilisez un dictionnaire pour vérifier l'orthographe des mots peu connus.

Les chiffres de tous les trafics

Aujourd'hui:

- Le trafic __**a**__ augmente de 5 __**b**__ chaque année.
- La région Ile-de-France compte 21 millions de __**c**__ motorisés par jour.
- 85% des __**d**__ français ont lieu à Paris.
- 10% de véhicules en plus sur la route __**e**__ 50% de bouchons supplémentaires.
- 58% des Français __**f**__ que la circulation dans les centres-villes __**g**__ limitée, même si cela leur impose des efforts.
- 30 millions de passagers __**h**__ chaque année le TGV et plus de 26 millions __**i**__ par Roissy, qui est devenu le premier __**j**__ français devant Orly et le deuxième d'Europe.

Pronoms d'objet indirect

▶▶ *p150*

Relisez le 5ᵉ point de l'article (**activité 2**): «. . . même si cela leur impose des efforts.» «Leur» est un pronom d'objet indirect.

- Un pronom d'objet indirect remplace un nom (objet d'un verbe) normalement lié au verbe par la préposition «à» (ou «au»/«aux»):

  . . . cela impose des efforts **aux Français** ➡ . . . cela **leur** impose des efforts.

  Liste complète:

me	*(to) me*	nous	*(to) us*
te	*(to) you*	vous	*(to) you*
lui	*(to) him/her/it*	leur	*(to) them*

- Vous remarquerez la ressemblance avec les pronoms d'objet direct (voir **p84**).

- Verbes très connus suivis d'un objet indirect:

conseiller (à. . .)	*to encourage*	ordonner (à. . .)	*to order*
défendre (à. . .)	*to forbid*	pardonner (à. . .)	*to forgive*
demander (à. . .)	*to ask*	parler (à. . .)	*to talk*
dire (à. . .)	*to say/tell*	permettre (à. . .)	*to allow/enable*
faire confiance (à. . .)	*to trust*	promettre (à. . .)	*to promise*
interdire (à. . .)	*to forbid*	proposer (à. . .)	*to suggest*
offrir (à. . .)	*to give/offer*	reprocher (à. . .)	*to reproach*

  Exemple: Et le maire? Vous **lui** avez demandé de mesurer la pollution de l'air?

3 Les personnes ci-dessous sont très conscientes des problèmes de circulation urbaine, comme le montre leur attitude écolo.

Remplacez les mots en caractères gras par des pronoms d'objet direct ou indirect, ou par le pronom «en» (voir **p99**).

Exemple: a *Mes collègues automobilistes? Je leur demande de m'emmener au travail.*

a   Je demande **à mes collègues automobilistes** de m'emmener au travail.

b   J'étudie **les bulletins météo sur la pollution de l'air** avant d'aller en ville.

c   Je parle **des problèmes de circulation urbaine** avec mes étudiants.

d   Je conseille **à mon fils** de ne pas se servir de sa moto sans réfléchir.

e   J'évite **les embouteillages** en me garant à l'extérieur des villes.

f   Je me sers **de mon vélo** le plus possible.

g   J'offre souvent **au maire** d'organiser des «journées vertes».

h   Je reproche **à ma femme** d'aller partout en voiture.

i   Je lis **le journal** pour m'informer sur les manifestations anti-pollution.

j   Je fais confiance **aux transports publics**. . . même quand le bus est en retard.

4 Imaginez que vous n'êtes pas du tout écolo. Inventez des phrases avec des pronoms comme dans l'**activité 3**. Réutilisez les mots en caractères gras ou choisissez-en d'autres.

Exemple: *Mes collègues auto-mobilistes? Je leur conseille d'acheter une plus grosse voiture pour impressionner les patrons.*

5 Faut-il restreindre la circulation dans les grandes villes?

A Ecoutez les commentaires **1–9** et dites s'ils sont pour ou contre ce genre de restriction.

B Réécoutez les commentaires, qui contiennent chacun une expression impersonnelle que vous devrez noter.
Exemple: **1** *il me semble*

Point langue

Expressions impersonnelles ▶▶ *p165*

- Les expressions rencontrées dans l'**activité 5B** s'emploient beaucoup pour débattre d'un thème, surtout dans une rédaction, où le style est en général plus formel.

  Style formel
  (rédaction, lettre officielle: Il . . .)
  Il me semble difficile de restreindre la circulation.
  Il serait préférable d'utiliser des méthodes dissuasives.

  Style plus naturel
  (conversation, simple lettre: Je . . .)
  Je trouve difficile de restreindre la circulation.
  J'aimerais mieux qu'on utilise des méthodes dissuasives.

- Il existe diverses structures: «Il» + verbe + . . .
  . . . «de» + inf.   Il s'agit d'éduquer les automobilistes.
  . . . adj. + «de» + inf.   Il semble difficile d'éduquer les automobilistes.
  . . . «que» + subj.   Il semble que les villes doivent donner l'alerte.

6 Lisez l'article (**feuille 3**) sur le thème de l'**activité 5**.

A Reconnaissez-vous des arguments déjà rencontrés? Si vous en trouvez d'autres, prenez des notes.

B Voici quelques noms, verbes et adjectifs rencontrés dans l'article. Assurez-vous que vous les comprenez: examinez bien le contexte et aidez-vous les uns les autres pour avoir moins de mots à vérifier dans le dictionnaire.

colonne 1	colonne 2	colonne 3	colonne 4
inopérant	un panneau	résoudre	restreindre
coûteux	les médias	la circulation alternée	souple
un péage	le parc (automobile)	pair/impair	un contrôle antipollution
une agglomération	un pot catalytique	un carburant	circuler
une vignette	une piste cyclable	les transports en commun	un piéton
verbaliser	un trajet	un véhicule de fonction	
efficace	dépolluer		

(7) Vous allez maintenant rédiger une rédaction sur ce thème:

Faut-il restreindre la circulation dans les villes?

– Inspirez-vous de l'article de la **feuille 3** et des données ci-dessous.
– Ecoutez les conseils enregistrés.
– Reportez-vous aux conseils **Planifier un travail écrit (p65)**, **Ecrire une bonne introduction (p77)** et **Ecrire une bonne conclusion (p121)**.

LES FRANCAIS ET LEURS VOITURES

En 1951, 1,7 million de véhicules roulaient sur les routes de France. Quarante ans plus tard, ils étaient 29 millions : 17 fois plus nombreux, un véhicule pour 2 habitants (en comptant ceux des entreprises). En 1989 (enquête de l'INSEE), les trois quarts des ménages possèdent déjà au moins une voiture. 25% d'entre eux en ont même deux (50% des cadres supérieurs), dont 38 % des couples ayant un enfant ou plus. En général, la première voiture est plus puissante (8CV) que la deuxième (de 3 à 4 CV) et les ménages « aisés » (revenu annuel supérieur à 200 000 F) investissent davantage dans les « grosses cylindrées ». Une passion coûteuse. La chère auto arrive en troisième position dans le budget familial, après le logement et la nourriture. Il faut compter en moyenne 80 000 F pour l'achat d'un engin neuf, 31 000 F pour une occasion. Emplette renouvelée tous les quatre ans, après environ 50 000 km parcourus (13 000 km par an). À quoi s'ajoutent les frais d'assurance, de vignette, d'entretien, d'utilisation et de réparations courantes, soit environ 22 000 F (dont 6 739 F d'essence, le tiers du total, car le carburant est cher en France, trois fois plus qu'aux États-Unis).

■ STRASBOURG : PRIORITÉ AUX PIÉTONS

● Première ville à avoir imposé le 50 km/h *intra-muros*, en mars 90.

● Depuis le début 92, le centre-ville est interdit aux voitures. Mais des places de parkings, des pistes cyclables et des transports en commun ont été créés.

Bilan

Entre autres choses, vous devriez maintenant savoir:

– mieux parler des problèmes de pollution urbaine et rurale et des transports urbains
– mieux évaluer et présenter des faits et arguments (expressions impersonnelles. . .)
– mieux conclure une rédaction
– mieux aborder un long passage (écoute et lecture)
– mieux utiliser certains pronoms et le participe présent.

Si vous êtes satisfaits de votre progrès, passez immédiatement aux activités ci-dessous. Sinon, relisez toutes les suggestions rencontrées jusqu'à maintenant dans les bilans et adaptez-en quelques-unes au thème de cette Unité.

Conseils d'examen. . . Ecoute et lecture

● Regardez combien il y a d'activités pour mieux distribuer votre temps.

● Evitez d'aller et venir d'une activité à l'autre.

● Pour chaque activité, lisez les questions ou instructions pour essayer de prédire le contenu du passage (vocabulaire et idées).

● Ecoutez/lisez d'abord le passage en entier, sans interruptions, pour vous faire une idée globale.

● Faites exactement ce qu'on vous dit: réponses en anglais ou en français? par phrases complètes ou non?

● Ne vous obstinez pas sur une question.

● En dernier ressort, inventez des réponses plutôt que de laisser des blancs.

● Autres conseils pour l'écoute: voir **p33**, **36**, **46**, **109**, **115**, **116** et **118**.
Autres conseils pour la lecture: voir **p33**, **44**, **45**, **46**, **80**, **109** et **117**.

A Faites un exposé oral d'environ 3 minutes (voir **p36**) sur le thème suivant:
Se passer de sa voiture? Pas réaliste!

Vous pouvez en discuter d'abord à plusieurs et consulter la **feuille 4** avant de préparer vos notes.

B Votre prof va maintenant sélectionner une partie de vos notes: écrivez un ou plusieurs paragraphes sur les notes choisies.

Besoin de vacances?

Sujets traités	Autres objectifs
Préférences-vacances **Etude comparative** **Les vacances et la nature** **Vacances-jeunes**	**Recycler les Unités 1–10 à travers le thème des vacances** **Conseils d'examen (oral et écrit)**

1 Un congé est une absence autorisée et généralement payée. On peut, par exemple, prendre des congés pour partir en vacances ou être en congé-maladie. La photo ci-contre date des premiers congés payés en France. D'après vous, c'était en quelle année? Parlez le plus possible pour dire ce qu'évoque cette photo. Votre prof va vous guider si nécessaire en vous posant des questions supplémentaires. Dites aussi ce que vous savez des vacances de vos parents/grands-parents quand ils étaient jeunes.

Vacances pour tous les goûts

1 Complétez ces phrases oralement en donnant un maximum de détails.

Ce que j'aime surtout faire pendant les vacances, c'est. . .

Ce que je préfère éviter, c'est/ce sont. . .

Ce qui peut gâcher mes vacances, . . .

Ce dont j'ai horreur, . . .

Ce qui m'intéresse en particulier, . . .

Le genre de vacanciers que je déteste, . . .

2 **A** Cinq personnes expliquent ce que représentent les vacances pour elles. Ecoutez-les puis choisissez des mots qui, selon vous, résument le mieux leurs commentaires.

> **la détente**   **l'évasion**   **le dépaysement**   **la plage**   **les amis**
>
> **les retrouvailles en famille**   **la chaleur**   **les rencontres**   **le sport**
>
> **la lecture**   **la paresse**   **les monuments**   **la bonne cuisine**
>
> **la forme**   **l'ennui**   **le luxe**   **la simplicité**

B Dites oralement ou par écrit ce que représentent les vacances pour vous à l'aide des mots ci-dessus et en fournissant des exemples précis.

3 **A** Cherchez les mots inconnus puis mettez les types de vacances ci-dessous dans l'ordre selon vos préférences.

> **les séjours linguistiques à l'étranger**   **les grandes randonnées**
>
> **le camping-caravaning**   **les vacances en gîte rural**
>
> **les croisières**   **les séjours à la montagne**
>
> **les séjours balnéaires**
>
> **les voyages organisés**   **les séjours en club de vacances**
>
> **les séjours avec hébergement en famille**

B Discutez à deux de vos préférences en vous inspirant de l'interview enregistrée, que votre prof va vous aider à analyser.

4 Essayez de deviner ce que signifient les expressions **a–i** sans dictionnaire. Votre professeur vous guidera en réagissant à vos suggestions.

a **une civilisation des loisirs**   **b** *fractionner ses congés*

c **un séjour estival**

d *une résidence secondaire*

e le tourisme vert   **f** **l'arrière-pays**

g **le camping sauvage**

h *le dépaysement*   **i** **les frais d'hébergement**

5 La région niçoise attire les vacanciers non seulement grâce à son soleil et à ses plages de sable doré mais aussi grâce à ses festivités, telles que le célèbre carnaval de Nice.

Bataille de fleurs samedi à Nice

Le « Roy de la musique » s'est installé sur son trône pour régner pendant dix-huit jours sur la ville. Les réjouissances ne manqueront pas ce week-end. Dès ce soir, à 20h30, Dick Rivers montera sur la scène d'Acropolis, à Nice, pour donner un concert « live ». Samedi, le programme débutera à 14h15, sur la Promenade des Anglais, par la première bataille de fleurs de Carnaval 1996. A 20h45, place aux chars et aux grosses têtes avec le corso aux lumières qui se déroulera avenue Jean-Médecin et Place Masséna.

Dimanche le grand bain de Carnaval, qui se tiendra à 11 heures sur la plage du Ruhl, donnera le top départ des animations de la journée. A 14h30, le char du « Roy de la musique » défilera aux côtés de ses sujets sur l'avenue Jean-Médecin et la place Masséna. Ce corso carnavalesque sera suivi à 17 heures par le concert des musiques du monde, sous le théâtre de Verdure (entrée gratuite) et à 21 heures, toujours au même endroit, par le gala des délégations étrangères.

A Dans l'article sur Nice, relevez à l'infinitif les quelques verbes utiles pour expliquer les événements à venir.
Exemple: **débuter** **to start**

B Voici d'autres verbes utiles. Faites-les correspondre à leur traduction.

a	se tenir	**1**	to be scheduled
b	se poursuivre	**2**	to welcome
c	être prévu	**3**	to take place (2)
d	avoir lieu	**4**	to continue
e	mettre en scène	**5**	to present
f	accueillir		

C Aidez-vous de l'article (style et vocabulaire) et des données ci-dessous pour écrire un article annonçant un événement du même genre: **la Fête du citron**.

– **Ville:** Menton
– 17/2 → 5/3
– **Thème:** Astérix (scènes d'Astérix sur chars décorés)
– **Astérix:** première apparition 11h, jardins Boviès + 15h, promenade du soleil
– Autres défilés aux fruits d'or: 25/2 et dimanche 3/3
– Nocturne 20/2 (feu d'artifice)
– **Même période:** festival des orchidées (palais de l'Europe) + salon de l'artisanat (idem)
– **23/2:** soirée de gala orange et citron (palais de l'Europe) – chansonniers

Les Français et les vacances

1 Aidez-vous des brefs commentaires enregistrés pour compléter les phrases **a–f** sur les Français et les vacances. Vous pouvez réutiliser des mots entendus mais devrez les adapter aux phrases ci-dessous.

a Les séjours à l'étranger (. . .) que 12% des départs.

b Les week-ends sont (. . .) de courtes vacances.

c On (. . .) professionnels du tourisme afin d'organiser ses vacances.

d Huit départs d'été sur dix (. . .) en juillet et en août.

e Un peu plus de (. . .) sur (. . .) sont partis en vacances en 1995.

f Durant les vacances d'été, la moitié des Français sont (. . .).

2 Etudiez les données de ces deux pages puis écoutez les commentaires enregistrés: possible, vrai ou faux?

a

Vacances – toutes saisons	1991	1992	1993	1994	1995
Taux de départs en vacances	69,2	67,9	66,2	68,7	68,4
Taux de départs à l'étranger	21,3	21,0	20,9	23,0	22,5

b

L'été des Français	1965	1980	1985	1990	1994
Taux de départ	41,0	53,3	53,8	55,1	58,1
Nombre de jours par vacancier	27,2	24,9	24,6	23,3	22,0

c

Vacances d'hiver	74–75	84–85	93–94
Taux de départ	17,1	24,9	29,6
Nombre de jours par personne	14,3	14,1	13,8

d

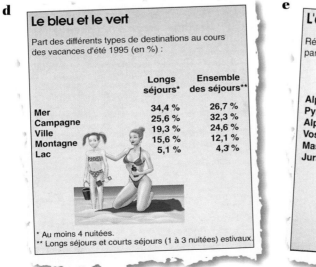

Le bleu et le vert

Part des différents types de destinations au cours des vacances d'été 1995 (en %) :

	Longs séjours*	Ensemble des séjours**
Mer	34,4 %	26,7 %
Campagne	25,6 %	32,3 %
Ville	19,3 %	24,6 %
Montagne	15,6 %	12,1 %
Lac	5,1 %	4,3 %

* Au moins 4 nuitées.
** Longs séjours et courts séjours (1 à 3 nuitées) estivaux.

e

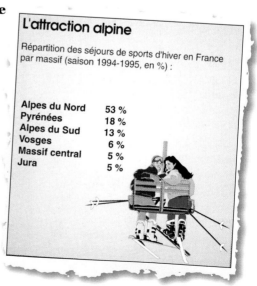

L'attraction alpine

Répartition des séjours de sports d'hiver en France par massif (saison 1994-1995, en %) :

Alpes du Nord	53 %
Pyrénées	18 %
Alpes du Sud	13 %
Vosges	6 %
Massif central	5 %
Jura	5 %

f

Catégorie socioprofessionnelle	Taux de départ (%) 1993
Exploitants et salariés agricoles	37,6
Patrons de l'industrie et du commerce	52,5
Cadres supérieurs et professions libérales	87,3
Professions intermédiaires	78,2
Employés	58,7
Ouvriers qualifiés	56,1
Ouvriers non qualifiés	39,9
Retraités	41,1

g

Les séjours à l'étranger ne représentent que 12 % de l'ensemble, mais leur part s'accroît.

On a enregistré 16,5 millions de séjours de vacances à l'étranger en 1995, soit 5 % de plus qu'en 1994. Il s'y ajoute 2,1 millions de séjours pour raisons professionnelles, en hausse de 31 % ; celle-ci s'explique par le desserrement des budgets des entreprises après plusieurs années de restrictions. Une partie de ces séjours est mixte, incluant une partie touristique personnelle.

La proportion de départs à l'étranger des Français est faible au regard de celle constatée dans d'autres pays developpés : 66 % aux Pays-Bas et en Suisse, 65 % en Allemagne, 62 % en Belgique, 56 % en Autriche, 37% au Canada, 35 % en Grande-Bretagne, 27 % en Irlande (mais 4 % seuelement aux Etats-Unis et au Japon). Elle devrait donc continuer de s'accroître pour rattraper les autres pays, d'autant que les offres sont de plus en plus nombreuses, avec des prix qui tendent à baisser.

On constate par ailleurs une hausse de 7 % du nombre de nuitées, ce qui implique que la durée moyenne des séjours à l'étranger s'est accrue.

h

Hébergement (été 1993)	
Résidence principale (+ parents, amis)	27,8
Location	17,6
Résidence secondaire (+ parents, amis)	12,2
Résidence secondaire	9,9
Caravane	9,5
Hôtel	7,7
Tente	7,0
Village de vacances	5,5
Autres	2,8

i

Séjours à l'étranger	1977	1991	1993
Andorre, Espagne, Portugal	38,7	32,6	29,4
Europe de l'Ouest (1)	13,4	13,4	18,2
Algérie, Maroc, Tunisie	9,1	13,1	15,0
Pays lointains (2)	5,9	12,0	10,1
Italie	15,3	9,2	8,3
Îles Britanniques	7,2	6,6	5,6
Grèce, Monaco, Turquie, îles méditerranéennes	3,8	6,4	7,4
Europe de l'Est (y compris ex-URSS)	2,6	2,4	2,8
Autres pays	4,0	4,4	3,2

(1) Allemagne, Autriche, Belgique, Danemark, Finlande, Islande, Luxembourg, Norvège, Pays-Bas, Suède, Suisse
(2) Afrique (sauf Maghreb), Amériques, Asie (sauf Turquie et URSS), Océanie

3 Aidez-vous des données de ces deux pages pour faire un exposé oral (3–4 minutes) ou écrit sur les Français et les vacances. N'essayez pas de tout inclure et ne citez pas trop de chiffres: il s'agit surtout de dégager les grandes lignes.

Vous pouvez maintenant passer à la **feuille 1**.

Vacances et nature

1 En vacances, les Français privilégient de plus en plus le rapprochement avec la nature et les sports d'hiver ne sont plus réservés aux portefeuilles bien remplis. Ecoutez et transcrivez **Février: les stations font le plein.**

Techniques de travail

Transcrire un enregistrement
Vous avez des problèmes?

● Essayez de visualiser les sons car certains correspondent à plusieurs orthographes.
   Exemples: in/un/ein/ain
      è/ai/ê
      é/ée(s)/et
      en/an

● Travaillez non seulement sur les mots individuels mais aussi sur les phrases entières, qui doivent être cohérentes.

● Attention: les liaisons peuvent transformer les mots à l'écoute ou donner l'impression d'entendre un mot au lieu de deux: ont été / honte été / ont tété

2 Lisez puis résumez l'article ci-dessous en procédant comme dans l'**activité 9 (p109)**.

La «glisse» dans tous ses états!

« France-Soir » vous initie aux secrets du ski nouveau avec les « carvers » et les « tout terrain ». Petit guide de la neige-plaisir. . .

LES 11 et 12 février à l'Alpe-d'Huez, les 18 et 19 février à Courchevel, les 24 et 25 février à La Plagne, les 3 et 4 mars à Risoul, voilà le programme du Max Circus, hymne aux nouvelles glisses, au ski artistique, au snow-board, au carving, bref au ski plaisir.

Durant 2 jours, une joyeuse équipe de « freeriders », de surdoués, effectuent toutes sortes de démonstrations sur un terrain spécialement aménagé. Et, ensuite, ils invitent le public à s'initier avec eux à ces nouvelles glisses, en prêtant le matériel.

A l'honneur donc ce nouveau ski que l'on désigne sous le nom barbare et peu explicite de « parabolique ». Taille de guêpe avec un patin plus étroit, élargi vers les spatules et les talons, plus court que le normal, c'est le « carver » (du verbe anglais signifiant couper un virage) qui, cet hiver, envahit toutes les stations.

Un ski plaisir parce que, c'est bien vrai, il permet de tourner sans effort – par rapport à la méthode ancestrale « flexion – rotation » – et facilite ainsi l'initiation des débutants, rassure les plus âgés. Et il donne également aux experts, avec des modèles encores plus petits et plus larges, les grands frissons. Ces cracks retrouvent là, sans bâtons, les sensations du snow-board : une glisse au raz de la neige, que l'on frôle d'une main gantée avec des courbes encore plus prononcées, plus achevées.

Des skis donc pour tous les niveaux, toutes les conditions physiques, tous les âges et tous les sexes, qui expliquent le nombre impressionnant de modèles apparus cette année chez les principaux fabricants : Rossignol (Toon), Atomic (Betacarv) et son frère Dynamic (Freecarve), Dynastar (Max), Salomon (Axendo)...

A vous, quand vous entrez dans un magasin spécialisé, de bien vous faire expliquer les caractéristiques de chacun de ces skis. Mais ce sont avant tout, je le souligne de nouveau, des skis « plaisir » pour une neige « plaisir », c'est-à-dire poudreuse sans être épaisse.

Galère

Sur des pistes gelées ou tôlées, c'est la galère ! Le « carver » est un ski d'appoint que les « accros » peuvent utiliser une heure ou deux dans une journée, consacrant d'autres heures à un ski « tout terrain » traditionnel.

Compte tenu des prix (de 2 000 F à 4 000 F avec les fixations) et de l'évolution des technologies de fabrication, les citadins qui s'offrent une ou deux semaines de sports d'hiver par an ont tout intérêt à louer leur matériel (500 F en moyenne les 6 jours pour les skis de l'année) plutôt qu'à l'acheter.

Le « carver » aura eu au moins l'immense mérite de redonner le goût du ski à des milliers de citadins fatigués qui avaient pratiquement abandonné ce sport. Il ne remplacera pas le ski classique auprès des mordus de la glisse qui, contrairement aux « snowboarders », aux jeunes fanatiques des « planches », préfèrent garder l'indépendance de leurs jambes, se régaler dans des « schuss » prolongés, de longues pentes droites, « patiner » sur les portions plates et avaler sans effort les légères montées.

3 Vacances-nature, vacances-montagne, mais la nature peut jouer des tours et les Français – autant que les Britanniques? – sont des fanas de la météo.

A A l'aide d'un dictionnaire mais le plus vite possible, relevez ci-contre les expressions qui ont rapport à la pluie.

B Recopiez séparément les expressions qui, selon vous, sont positives et celles qui sont négatives.

C En quelques minutes, mémorisez les expressions ci-contre le plus possible. Cachez-les ensuite puis écoutez les huit bulletins météorologiques: les prévisions sont-elles plutôt bonnes (**B**) ou plutôt mauvaises (**M**)?

une accalmie

le retour des gelées matinales

un radoucissement

des averses éparses

des températures proches de la normale

des températures en hausse

un durcissement des conditions météorologiques

un temps doux pour la saison

de fréquentes intempéries

un temps exécrable

des pluies diluviennes

des orages meurtriers

des conditions ensoleillées

des inondations

un week-end très arrosé

davantage d'éclaircies

des intempéries

des précipitations orageuses

un temps couvert

4 Le tourisme peut défigurer certains espaces naturels: plages polluées, villages de vacances... Il arrive cependant qu'on essaie de mieux concilier vacances et nature, ne serait-ce que pour contribuer à la survie d'une économie locale et d'un certain style de vie.

Ecoutez d'abord sans interruptions l'interview de M. et Mme Rousseau, deux exploitants agricoles qui ont su diversifier leurs activités en conciliant tourisme et fermage. Réécoutez ensuite l'interview à loisir et répondez aux questions **a–h** par phrases complètes. Si vous réutilisez des extraits de l'interview dans vos réponses, adaptez-les à la structure des questions.

a Pourquoi M. et Mme Rousseau sont-ils devenus agriculteurs?

b Qu'est-ce qui les a poussés à se diversifier?

c Quelle clientèle attirent-ils?

d Quelles activités tournées vers le tourisme sont mentionnées dans l'interview?

e Que publient M. et Mme Rousseau maintenant pour arriver à maîtriser toutes ces activités?

f Quels genres d'aides reçoivent-ils dans le cadre de leurs activités touristiques?

g Quel nom Mme Rousseau donne-t-elle au style de tourisme auquel elle contribue avec son mari?

h Comment M. et Mme Rousseau voient-ils l'avenir?

Les vacances et les jeunes

1 Avant toute chose, faites ces quelques recherches à l'aide de dictionnaires ou autres ressources:

    a Qu'est-ce que l'Hexagone? Pourquoi, d'après vous, utilise-t-on ce nom d'Hexagone?

    b Que sont les DOM-TOM?

    c Dans beaucoup de lycées et bibliothèques, on trouve un CIDJ: qu'est-ce que c'est?

    d Qu'est-ce que la région tourangeaise? Où se trouve-t-elle?

2 Lisez les trois articles (**p135**) et expliquez les expressions ci-dessous – oralement ou par écrit – soit en donnant une définition, soit en suggérant une expression synonyme. Evitez si possible l'usage du dictionnaire en vous aidant du contexte au maximum.

PAJ
- être en mal d'argent
- effectuer un séjour plus long sans bouger
- des PAJ sont même implantés
- avoir les moyens
- se renseigner auprès de. . .

CHANTIERS
- lier l'action à la convivialité
- une fourmilière d'ados
- lier l'utile à l'agréable
- visant à couvrir vos frais d'hébergement
- le voyage est à vos frais
- du tonus

AUBERGES DE JEUNESSE
- les itinérants
- avoir l'embarras du choix
- renouveler son adhésion
- au summum

3 Choisissez une des deux activités ci-dessous, mais travaillez sans plus regarder les articles.

- Résumez pour quelle catégorie de personnes chacune des trois formules de vacances proposées semble particulièrement appropriée. Appuyez-vous à la fois sur votre mémoire et sur vos déductions personnelles.
- Expliquez une ou plusieurs des formules de vacances proposées de mémoire, en mentionnant un maximum de détails.

4 Discussion à plusieurs:

- Laquelle des trois formules de vacances proposées vous attire le plus? Pourquoi?
- Les articles présentent chacune des trois formules sous un angle favorable. Quels inconvénients possibles pouvez-vous cependant percevoir?

PAJ

En mal d'argent et de vacances? N'oubliez pas les PAJ (Points Accueil Jeunesse), destinés aux 13–18 ans. Maintenant plus de 1000 en France, les PAJ vous offrent des formules de loisirs bon marché conçues pour votre génération. Les PAJ se présentent sous la forme de mini-campings (une cinquantaine de places) souvent basés dans des centres de loisirs, sur des terrains de sports ou même sur des terrains de camping municipaux. Pour les plus actifs, ils permettent des vacances itinérantes à pied, en vélo ou à mobylette, où différents PAJ peuvent être utilisés comme étapes successives. Les plus sédentaires parmi vous peuvent effectuer un séjour plus long sans bouger. Vos parents ne sont pas convaincus? Un hôte, qui n'est ni surveillant ni animateur mais qui connaît bien la région, gère chaque PAJ et peut vous renseigner sur les balades ou les activités disponibles à proximité. Pour ceux qui sont fatigués de l'Hexagone et qui ont les moyens, des PAJ sont même implantés dans les DOM-TOM (Guadeloupe, Martinique et Polynésie). Renseignez-vous auprès de votre syndicat d'initiative, de votre mairie ou de votre Centre d'information jeunesse.

CHANTIERS

Vous n'avez pas peur de transpirer et vous souhaiter lier l'action à la convivialité? Vous avez passé l'âge de vous retrouver dans une fourmilière d'ados hyper-excités? Vous souhaitez lier l'utile à l'agréable? Participer à un chantier peut vous fournir une expérience enrichissante sans vous ruiner. Pour un prix relativement bas visant à couvrir vos frais d'hébergement (le voyage est à vos frais), plusieurs associations vous offrent un choix de chantiers sur toute la France. Les projets sont variés: fouilles archéologiques, rénovation de monuments historiques, aménagement de sites naturels, il existe même dans la région tourangeaise un chantier destiné à l'aménagement d'anciennes habitations troglodytes. D'une durée de deux à trois semaines, ces chantiers exigent beaucoup de tonus durant la journée mais vous laissent une liberté totale après le dur labeur. Conçus dans certains cas uniquement pour les 18 ans et plus, beaucoup de ces chantiers – également ouverts aux étrangers – peuvent aussi vous permettre de lier connaissance avec vos voisins d'Europe et d'ailleurs.

AUBERGES DE JEUNESSE

Les auberges de jeunesse sont privilégiées essentiellement par les itinérants peu fortunés, les obsédés du sac à dos qui n'ont cependant pas envie de planter la tente tous les soirs. Rien qu'en France, avec environ 300 auberges, vous n'aurez que l'embarras du choix, sans compter les 6 000 auberges étrangères auxquelles la carte d'adhésion à la Fédération Unies des Auberges de Jeunesse (FUAJ) vous donne droit. La carte n'est pas chère mais n'oubliez pas de renouveler votre adhésion chaque année. Les auberges sont classées en cinq catégories selon le luxe et les équipements, avec au summum le petit déjeuner compris!

Kaléidoscope

Ces deux pages vous offrent un choix d'activités qui établissent toutes un lien entre le thème des vacances et certains des thèmes et objectifs abordés dans les Unités **1–10**. Vous avez besoin de conseils? Reportez-vous à la **feuille 2 (p136)** ou à la **feuille 3 (p137)**.

Unité 1 Activités écrites au choix

1 Ecrivez à un(e) Français(e) de votre connaissance au sujet d'une façon typiquement britannique (Butlin's, Centre Parcs, Blackpool. . .) ou quelque peu inhabituelle de passer ses vacances : description, activités, genre de clientèle, opinions personnelles.

2 Faites le portrait d'une région touristique française à l'aide de recherches personnelles.

3 Ecrivez un article sur les Français, sur le modèle de l'article **(p17)** Les Anglais sont des génies.

Unité 2 Au choix

1 Décrivez le compagnon/la compagne de vacances idéal(e), oralement ou par écrit.

2 Préparez un sketch humoristique où, à tour de rôle, chaque membre de la classe doit jouer le rôle d'un tour-opérateur qui recommande un certain type de vacances à une célébrité (à chacun de choisir sa célébrité) ou à un type de personne bien particulier. Autrement dit, chaque étudiant doit faire un monologue devant une chaise vide – celle du/de la client(e).

Unité 3 Sketch semi-improvisé à deux ou trois

L'un(e) de vous essaie de convaincre ses parents de le/la laisser partir en vacances sans eux, ou de le/la laisser rester à la maison pendant que les parents partent en vacances.

Unité 4 et Unité 7 Activité orale ou écrite

Préparez un article de journal ou un reportage–radio sur un incident lié aux vacances: inondation dans un camping, vols dans un hôtel touristique, indignation de petits commerçants contre certaines catégories de touristes, etc.

Unité 5 Activité orale ou écrite

Devrait-on revoir la durée et l'étalement des vacances scolaires dans votre pays? Vous pouvez, entre autres, baser vos réflexions sur une comparaison avec le système français.

Unité 6 Activité orale ou écrite

Vous avez travaillé dans le tourisme – ou du moins dans une région touristique – pendant vos vacances. Faites un compte-rendu de votre expérience.

Unité 8 Activité écrite

Ecrivez un article de magazine humoristique intitulé **Restez chez vous!** dans lequel vous exprimerez l'idée selon laquelle les vacances sont mauvaises pour la santé physique/psychique.

Unité 9 Activité écrite

Ecrivez un article sur les vacances à la campagne, sur le ton de votre choix. Vous pouvez l'écrire comme un récit de vacances – lettre à un(e) ami(e) par exemple –, comme une rédaction, un article humoristique ou encore un article encourageant ou décourageant vos lecteurs à passer leurs vacances à la campagne.

Unité 10 Exposé oral ou écrit

«La mode du tourisme exotique défigure l'environnement, bouleverse les coutumes et contribue à l'exploitation des riches par les pauvres.» Qu'en pensez-vous?

Extra Activité orale

Choisissez un des thèmes suivants et préparez-vous à en parler seul(e) sur le ton de votre choix ou à en discuter à plusieurs:

1 L'explosion du tourisme défigure la nature.
2 Pas de bonnes vacances sans argent.
3 Les vacances d'été sont très détrimentales au progrès scolaire.
4 Vive les voyages organisés!
5 Partir en vacances? C'est trop stressant!

Conseils d'examen. . . Oral et écrit

Conseils généraux

Vérifiez à l'aide du programme *syllabus* que vous avez pratiqué tous les styles d'activités et que vous comprenez les critères utilisés dans la notation: il se peut, par exemple, que vos connaissances de la société française comptent beaucoup dans certaines épreuves. Certains examens comportent des activités non décrites ci-dessous.

Epreuve orale

Présentation et discussion

- Choisissez un thème ni trop vaste, ni trop restreint, ni trop banal. Faites preuve d'originalité et montrez que vous avez fait des recherches en concrétisant vos idées par des exemples précis.

- Simplifiez votre support visuel au maximum. Evitez le par-cœur et entraînez-vous à respecter la durée imposée.

- Si vous manquez de temps, suscitez la curiosité de l'examinateur en le guidant vers certaines questions.

- Essayez d'anticiper les questions durant votre préparation: si vous choisissez un sujet à controverse, l'examinateur adoptera probablement un point de vue opposé au vôtre pour évaluer votre capacité à soutenir un argument.

Conversation

- Si une question vous inspire peu, répondez brièvement puis essayez de guider l'examinateur dans une autre direction, car il ne cherche pas à vous bloquer mais à vous faire parler.

- Reformulez les questions posées pour vous donner quelques secondes de réflexion. N'hésitez pas à faire répéter les questions mal comprises.

- Révisez les expressions utiles pour défendre vos opinions.

- Pour démontrer à la fois vos connaissances et vos idées, vous pouvez par exemple vous référer à la France et aux Français puis baser votre réflexion sur une comparaison avec votre pays et votre expérience personnelle.

- Donnez vraiment l'impression d'une conversation pour éviter l'effet questions-réponses et n'oubliez pas que le sens de l'humour est toujours le bienvenu.

- N'utilisez pas un registre trop familier («Oh ben»/«Ouais». . . sont à éviter).

Reportez-vous aussi aux conseils **pp36** et **64.**

Epreuve écrite

- Analysez bien le sujet posé. Comporte-t-il un ou plusieurs aspects? Relisez-le fréquemment pour éviter de le déformer pendant que vous rédigerez votre travail.

- Donnez-vous le temps de réfléchir et de planifier!!! En planifiant, choisissez déjà votre structure d'ensemble, puis plusieurs points par section et des exemples (présents, passés) pour illustrer chaque point. Notez en même temps du vocabulaire particulièrement approprié au sujet en question.

- Adaptez votre style au sujet posé. Vous demande-t-on d'écrire une rédaction? Un article de magazine? Une lettre à un journal? Une lettre à un ami?

- Soignez l'introduction et la conclusion: les premières impressions et les dernières comptent pour beaucoup dans le résultat final.

- Soignez le lien d'une section à l'autre (enchaînement des idées, mots de liaison. . .) et écrivez par paragraphes.

- Donnez-vous le temps de relire votre travail (accents, accords, ponctuation, mots non lisibles. . .)

Reportez-vous aussi aux conseils pp**28**, **29**, **65**, **72**, **78**, **85** et **121.**

Termes grammaticaux

The grammatical terms not listed here are explained within **Grammaire** (pp140–65).

Un accord (s'accorder avec . . .)
In French, articles, adjectives, pronouns and sometimes past participles agree in number (singular/plural) and gender (masculine/feminine) with the noun or pronoun they relate to. Their endings change accordingly.

Un auxiliaire
This is the name given to *avoir* and *être* when they are used with past participles to make up compound tenses (e.g. perfect, pluperfect): *Ils ont appelé – Elle est venue.*

Une conjonction
A conjunction is a linking word (*mais, puis, après, bien que . . .*) within, or at the beginning of, a sentence.

Un genre
There are two genders in French: the masculine and the feminine.

Un idiome/Une expression idiomatique
This is an expression that cannot be translated word for word, e.g. a red herring.

L'indicatif
The indicative describes the 'normal' forms of verbs (present, perfect, imperfect, future . . .), as opposed to the conditional, the imperative and the subjunctive. Each of these four categories is called *un mode* (a mood).

Invariable
A word that is invariable is always spelt exactly in the same way. For example, the invariable adjective *marron* retains the same ending when describing a noun that is feminine or plural.

Un nombre
There are two possible word 'numbers': the singular and the plural.

Un objet
An object is a noun or pronoun acted upon by a verb.
J'ai vu mon cousin; tu le connais?
Direct/indirect object: see **10c.**

Une personne
The person indicates which form of a verb is being used.
Singular: 1st person (*je/j'*) 2nd person (*tu*)
          3rd person (*il/elle/on*)
Plural: 1st person (*nous*) 2nd person (*vous*)
          3rd person (*ils/elles*)

Un préfixe
A prefix precedes the stem (the core) of some words: *apprendre – comprendre – surprendre.*

Une proposition
This is a clause, i.e. a part of a sentence which contains at least a subject and a verb.
In the sentence *C'est ton père qui me l'a expliqué*, «*C'est ton père*» is called the main clause as it could stand on its own; «*qui me l'a expliqué*» is called a subordinate clause because it is dependent on the main clause, and could not stand on its own. Subordinate clauses introduced by a relative pronoun (e.g. *qui*) are called relative clauses.

Une racine
Called the stem, the root or the radical in English, this is the 'core' of a word, to which a prefix, a suffix or variable endings can sometimes be added: *utile; utiles; inutiles; inutilement.* The stem of a word sometimes changes: *prendre; prenaient; ont pris.*

Un suffixe
A suffix is added at the end of the stem of some words: *poli, poliment.*

Un sujet
The subject in a sentence or a clause is the word which performs the action or is being described. It is generally a noun (*Sa voiture a disparu.*), a pronoun (*Elle était presque neuve.*) or an infinitive (*Marcher est bon pour la santé.*).

Un temps composé
A compound tense is made up of an auxiliary – *avoir* or *être* – and a past participle. The most common compound tenses are the perfect and the pluperfect.

Un temps simple
This is a verb tense that doesn't contain an auxiliary (present, imperfect . . .)

Un verbe intransitif
An intransitive verb is a verb that does not take a direct object (see **10c**).

Un verbe transitif
A transitive verb is a verb that takes a direct object (see **10c**).

Grammaire

  Les noms *Nouns*

Nouns are naming words. They can be people (*un employé, Jeanne d'Arc*), things (*une voiture*), animals (*un chat*), places (*un lac*) or something abstract (*une maladie, l'optimisme*).

1a Le genre *Gender*

- Most nouns (people, things, places, ideas) are either masculine or feminine:

    un homme   une personne   un quartier   une région

- Nouns for people may have masculine and feminine forms:

    un employé, une employée   *un chrétien, une chrétienne*
    un boucher, une bouchère   *un jumeau, une jumelle*
    un masseur, une masseuse   *un sportif, une sportive*
    un directeur, une directrice   *un époux, une épouse*

- Some nouns for people stay the same when referring to either gender:

    un élève, une élève   *un dentiste, une dentiste*

- Some nouns for people only have one gender, whether they describe men or women:

    masculin: *un auteur un bébé un docteur un écrivain un ingénieur un médecin un peintre un professeur*
        (but: *un(e) prof*) *un témoin*

    féminin: *une connaissance une personne une vedette une victime*

- Some nouns have different meanings depending on their gender:

    un livre a book   *une livre* a pound
    un poste a post, a job   *une poste* a post-office

1b Le masculin *Masculine*

- Nouns belonging to the following groups are masculine:
    - all days, months and seasons: *jeudi/janvier/été*
    - languages: *le russe/le portugais*
    - males: *un neveu/un garçon*
    - most animals and trees: *un tigre/un pommier*
    - most countries, rivers and flowers not ending in **-e**: *le Japon/le Nil/le lilac*
    - most colours: *le rouge/le vert*
    - many nouns ending in a consonant
    - most nouns ending as indicated below:

        *un mir**acle**/un obst**acle***   *le sarc**asme**/l'enthousi**asme***
        *un bill**et**/un carn**et***   *un dev**oir**/le trott**oir***
        *un anim**al**/un can**al***   *le bavard**age**/le jardin**age*** (but not *une cage/image/page/plage*)
        *le fasc**isme**/l'optim**isme***   *un caf**é**/un march**é*** (but not nouns ending in **-té** or **-tié**)
        *un diagr**amme**/un progr**amme***   *un cad**eau**/un ois**eau*** (but not *l'eau/la peau*)
        *un accid**ent**/un événem**ent***   *un probl**ème**/un syst**ème*** (but not *la crème*)

1c Le féminin *Feminine*

- Nouns belonging to the following groups are feminine:
    - females: *une femme/une tante*
    - continents: *l'Asie/l'Afrique*
    - most countries and rivers ending in **-e**: *la Suisse/la Pologne/la Loire*
    - most fruit ending in **-e**: *une poire/une framboise*
    - most nouns ending in a double consonant + **-e**: *la colonne/la terre*
    - most nouns ending as indicated below:

        *la f**ace**/la r**ace***   *la vis**ion**/la pass**ion***
        *l'arrog**ance**/la confi**ance***   *la nat**ion**/l'attent**ion***
        *la par**esse**/la vieill**esse***   *la destin**ée**/une soir**ée*** (but not *un lycée; un musée*)
        *la cult**ure**/la nat**ure***   *l'impati**ence**/la prud**ence*** (but not *le silence*)
        *la curiosi**té**/la volon**té***   *la mati**ère**/la mis**ère*** (but not *le caractère; le mystère*)
        *l'ami**tié**/la moi**tié***   *la coul**eur**/la p**eur*** (but not *le bonheur; l'honneur; le malheur*)
        *la mais**on**/la rais**on***

1d Le pluriel *Plural*

- Most nouns take an **-s** in the plural, but there are other patterns:
  - *un cheval* ➠ *des chevaux* (but: *des bals, des festivals*)
  - *le travail* ➠ *les travaux* (but: *des détails*)
  - *un bateau* ➠ *des bateaux*
  - *un jeu* ➠ *des jeux* (but: *des pneus*)
  - nouns ending in **-s**, **-x** or **-z** do not change:
    un mois ➠ *deux mois*   *un prix* ➠ *des prix*   *un nez* ➠ *des nez*
  - seven words ending in **-ou** take an **-x** instead of an **-s**:
    des bijoux   *des choux*   *des cailloux*   *des genoux*   *des poux*   *des hiboux*   *des joujoux*   toys
  - other unusual forms:
    Madame ➠ *Mesdames*   *Monsieur* ➠ *Messieurs*   *un œil* ➠ *des yeux*

- Compound nouns vary and may need looking up in a dictionary:
  un beau-frère ➠ *des beaux-frères*   *un porte-clé* ➠ *des porte-clés*

2 Les articles   *Articles*

Articles come before nouns: *le, un, des . . .*

2a Les articles définis *Definite articles*

- *Le, la, l', les* = 'the' . . . or nothing. Use *le/l'* + masculine singular noun; *la/l'* + feminine singular noun; *les* + plural noun:
  Le dollar remonte.   The dollar is going up.
  La télé m'ennuie.   TV bores me.
  L' is used instead of *le* or *la* before a vowel or some words beginning in **-h**: *l'histoire   l'hôtel   l'hélicoptère*
  but: *le handball   le hall   le héros*

- You can use *à la; à l'; de la; de l'*. However:
  à le becomes *au*
  à les becomes *aux*
  de le becomes *du*
  de les becomes *des*

- As in English, definite articles refer to specific persons or things:
  Le maire a perdu aux élections.   The mayor lost the election.
  However, note these additional uses in French:
  - references to all things of a kind: *Les infirmières sont mal payées.*
  - generalisations: *La jalousie détruit de nombreux couples.*
  - parts of the body: *J'ai mal au dos. Il a le nez grec.*
  - sports and hobbies: *Le hockey sur glace passe rarement à la télé.*
  - after verbs of likes and dislikes: *J'aime la politique.*
  - days of the week (regular events): *Ce feuilleton passe le mercredi.*
  - titles or adjectives + names: *Le commandant Cousteau   Le célèbre Pasteur*
  - prices and quantities: *C'est 35F le kilo ou le paquet?*
  - seasons: *L'hiver finit tard.* (But: *en automne/été/hiver; au printemps*)
  - geographical names (except after *en* and *de*) and names of languages:
    Le mont Blanc est à plus de 4800 mètres.
    L'Espagne a opté pour l'Euro. (But: *Je viens d'Espagne.   J'habite en Espagne.*)
    Le japonais est rare dans les lycées. (But: *un film en japonais*)

2b Les articles indéfinis *Indefinite articles*

- *Un, une* translates as 'a'.
  Des sometimes translates as 'some/any' but often doesn't translate at all.
  Use *un* + masculine singular noun; *une* + feminine singular noun; *des* + plural noun.
  Note that English often dispenses with indefinite articles altogether:
  On m'a offert un emploi mais j'ai des doutes sur l'entreprise.
  I've been offered a job but I have (some) doubts about the company.
  Vous avez des capitaux à l'étranger?   Do you have (any) investments abroad?
  - Negative sentences use *de/d'* instead of *un/une/des*:
    Je n'ai plus d'emploi mais je n'ai pas de dettes.   I haven't got a job any more but I haven't got debts.

- Note the use or absence of articles in French or English:
    - profession/occupation:
        Elle est députée. She's an MP.
    - noun in apposition:
        Mlle Jean, médecin, a été élue. Mlle Jean, a GP, was elected.
    - after *quel/en tant que/ni*:
        Quelle déception! What a disappointment!
        Je te parle en tant qu'ami. I am speaking to you as a friend.
        Ils n'ont ni passeport, ni argent. They've got neither passport nor money.
    - lists:
        Oncles, tantes, cousins, ils étaient tous là. Uncles, aunts, cousins, they were all there.

2c Les articles partitifs *Partitive articles*

- *Du, de la, de l', des* can translate as 'some/any', but are frequently omitted in English. Use *du/de l'* + masculine singular noun; *de la/de l'* + feminine singular noun; *des* + plural noun:
    Je cherche du travail. I'm looking for (some) work.
    De l' is used instead of *du* or *de la* before a vowel or some words beginning in -**h** (see definite articles):
    Il voudrait investir de l'argent à l'étranger mais il a des doutes.
    He'd like to invest (some) money abroad but he has (some) doubts.
    Use *de/d'* instead of the above:
    - in negative expressions:
        Il n'y a pas de doute. There are no doubts.
    - in expressions of quantity (*peu de/assez de/beaucoup de/tant de/trop de*):
        Le maire a peu de scrupules. The Mayor has few scruples.
    - with *avoir besoin de*:
        On a besoin de nouveaux produits. We need new products.
    - before an adjective placed before a noun:
        J'ai des projets. De grands projets! I have plans. Big plans!

- Be careful:
    Beaucoup d'étudiants . . . Many students . . . (general)
    Beaucoup des étudiants . . . Many of the students . . . (more specific)

2d Le/la/l'/les ou du/de la/de l'/des?

Choose carefully when no article is used in English. Use *du/de la/de l'/des* if you can put 'some' or 'any' in front of the noun. If you can't, use *le/la/l'/les*:
I'm looking for books on homeopathy. ('some books') *Je cherche des livres sur l'homéopathie.*
I like alternative remedies. (alternative remedies in general, not 'some') *J'aime la médecine douce.*

3 Les adjectifs qualificatifs *Adjectives* ◀ p20

Adjectives add information to a noun or pronoun: *riche, jaune, fatigué . . .*

3a Le genre *Gender*

- Feminine endings follow the same rules as for nouns (see **1a**). Common patterns:
    - vert/vert**e**
      fatigu**é**/fatigu**ée**
    - jeun**e**/jeun**e**
      simpl**e**/simpl**e**
    - ancie**n**/ancie**nne**
      bo**n**/bo**nne**
      crue**l**/crue**lle**
      nu**l**/nu**lle**
      genti**l**/genti**lle**
      parei**l**/parei**lle**
      gro**s**/gro**sse**
    - compl**et**/compl**ète**
      inqui**et**/inqui**ète**
      secr**et**/secr**ète** (but: net/nette)
    - ch**er**/ch**ère**
      prem**ier**/prem**ière**
    - heureu**x**/heureu**se**
      envieu**x**/envieu**se**
      jalou**x**/jalou**se** (but: *doux/douce; faux/fausse; vieux/vieille*)
    - ment**eur**/ment**euse**
      rêv**eur**/rêv**euse** (but: *supérieur/supérieure; conservateur/ conservatrice; protecteur/protectrice*)
    - acti**f**/acti**ve**
      neu**f**/neu**ve**
      passi**f**/passi**ve**
      positi**f**/positi**ve**

- Learn by heart:
  - *blanc/blanche franc/franche sec/sèche frais/fraîche*
  - *public/publique turc/turque grec/grecque*
  - *malin/maligne long/longue*
  - *ambigu/ambigüe* (masculine/feminine sound identical)
  - *chic, châtain, marron, sympa, vert clair, vert foncé* (invariable)

3b Le nombre *Number*

- Plural endings follow the same rules as for nouns (see **1d**). Common patterns:
  *pollué/pollu**és** neuf/neuf**s***
  *écossai**s**/écossai**s** gri**s**/gri**s***
  *génér**eux**/génér**eux** vi**eux**/vi**eux***
  *be**au**/be**aux** nouve**au**/nouve**aux***
  *loc**al**/loc**aux** norm**al**/norm**aux*** (but: *banals, finals*)

- If two nouns share the same adjective, the adjective has to be plural:
  *Un frère et une sœur très motiv**és**.*

3c La position des adjectifs *Position of adjectives*

- Generally after the noun:
  *une météo **optimiste***   *une entreprise **dynamique***

- Some common adjectives go before the noun:

un **beau** résultat	un **gros** désastre	le **même** emploi
un **bon** dîner	un **haut** niveau de vie	un **nouveau** remède
un **court** repas	une **jeune** entreprise	un **petit** progrès
un **excellent** discours	un **joli** parc	une **vieille** ville
un **gentil** chien	un **mauvais** bilan	une **vraie** réussite

- Watch out:
  *son **ancienne** femme /une maison **ancienne** (ex- versus old)*
  *un **brave** homme /un homme **brave** (kind versus brave)*
  *un **certain** charme /un charme **certain** (certain versus undeniable)*
  *mes **chers** collègues /un repas **cher** (dear versus expensive)*
  *un **grand** homme /un homme **grand** (great versus tall)*
  *une **pauvre** femme /une femme **pauvre** (unfortunate versus not rich)*
  *mes **propres** dents /des dents **propres** (own versus clean)*
  *le **seul** homme /un homme **seul** (only versus on his own)*
  *une **vraie** réponse /une réponse **vraie** (real versus true)*

3d Les adjectifs invariables *Invariable adjectives*

- Adjectives are invariable after *c'est* (*c'était/ce sera . . .*) and *il est* (*il a été/il sera . . .*):
  *Les usines Cerdon vont fermer? C'est **surprenant**!   Il est **essentiel** de continuer les négotiations.*

3e Les adjectifs en tant que noms *Adjectives as nouns*

- When used as nouns, adjectives are used in the masculine singular:
  *L'**essentiel**, c'est de garder le moral.   Le plus **simple**, c'est de recommencer.*

3f Les adjectifs en tant qu'adverbes *Adjectives as adverbs*

- When used as adverbs, adjectives are invariable:
  *Ces fleurs sentent très **bon**.   Ça va vous coûter **cher**!*
  *J'ai travaillé **dur**.   Qu'est-ce qui sent **mauvais**?*

3g Les adjectifs et les préfixes *Adjectives and prefixes*

- Some adjectives can be given a negative meaning with prefixes:
  im- *buvable/imbuvable mangeable/immangeable possible/impossible*
  in- *capable/incapable intéressant/inintéressant traduisible/intraduisible*
  ir- *rationnel/irrationnel réel/irréel remplaçable/irremplaçable*
  mal- *adroit/maladroit chanceux/malchanceux heureux/malheureux*

- Note: **im-** is nearly always used instead of **in-** before the letters **-b**, **-m** and **-p**.

4 **La possession** *Possessives*

Possessives indicate possession or ownership: *mon, votre, le mien . . .*

4a **Les adjectifs possessifs** *Possessive adjectives*

● They agree with the noun they qualify (not with the 'owner'):
Ma fille veut abandonner ses études. My daughter wants to abandon her studies.

	Masculine singular	**Feminine singular**	**Plural**
my	*mon*	*ma (mon*)*	*mes*
your	*ton*	*ta (ton*)*	*tes*
his/her/its	*son*	*sa (son*)*	*ses*
our	*notre*	*notre*	*nos*
your	*votre*	*votre*	*vos*
their	*leur*	*leur*	*leurs*

* used instead before a vowel or a silent **-h** (one that allows liaison):
C'est mon histoire préférée. It's my favourite story.

● *Son fils* can mean 'his son' or 'her son'.
French doesn't always use possessive adjectives where English does:
I broke *my* arm. *Je me suis cassé **le** bras.*
Wipe *your* hands. *Essuie-toi **les** mains.*
He came in with *his* hat on *his* head. *Il est entré, **le** chapeau sur **la** tête.*

4b **Les pronoms possessifs** *Possessive pronouns*

A possessive pronoun replaces a possessive adjective + noun, often to avoid repetition. They always include an article.
*Mes employés ont accepté. Et **les vôtres**?* (i.e. *Et vos employés?*)

	Singular		**Plural**	
	masculine	**feminine**	**masculine**	**feminine**
mine	*le mien*	*la mienne*	*les miens*	*les miennes*
yours	*le tien*	*la tienne*	*les tiens*	*les tiennes*
his/hers/its	*le sien*	*la sienne*	*les siens*	*les siennes*
ours	*le nôtre*	*la nôtre*	*les nôtres*	*les nôtres*
yours	*le vôtre*	*la vôtre*	*les vôtres*	*les vôtres*
theirs	*le leur*	*la leur*	*les leurs*	*les leurs*

● Possessive pronouns agree with the noun they replace (not with the 'owner').
*Tu as apporté tes notes? J'ai oublié **les miennes**.*

● After the prepositions *à* and *de*, some pronouns change:
au mien/tien . . . (not *à le mien . . .*)   *du mien/tien . . .* (not *de le mien . . .*)
aux miens/tiens . . . (not *à les miens . . .*)   *des miens/tiens . . .* (not *de les miens . . .*)
*Mon secrétaire est trop occupé. Je peux demander **au vôtre**?*

● With the verb *être*, you will often find:
Ce livre est à moi   instead of   *Ce livre est le mien*
C'est à vous?   *C'est le vôtre?*

5 **Les adjectifs et pronoms démonstratifs** *Demonstratives*

Demonstratives are used to point out a particular person or thing: *ce, ces, celui-là . . .*

5a **Les adjectifs démonstratifs** *Demonstrative adjectives*

● Like all adjectives, they agree with the noun they qualify:
***Cette** église vient d'être rénovée.* This church has just been restored.
*Tu connais **cet** homme?* Do you know this man?

	masculine	**feminine**
this/that	*ce (cet*)*	*cette*
these/those	*ces*	*ces*

* used before a vowel or a silent **-h** (one that allows liaison).

- To distinguish more precisely between this/these and that/those, you can, but do not have to, use **-ci** or **-là**:

  *Pourquoi **cette voiture-ci** est-elle plus chère que **cette voiture-là**?*

  Why is this car more expensive than that car?

5b Les pronoms démonstratifs *Demonstrative pronouns*

They replace a demonstrative adjective + noun, generally to avoid repetition.

*Pourquoi cette voiture-ci est-elle plus chère que **celle-là**?*

	masculine	feminine
this one	*celui-ci*	*celle-ci*
that one	*celui-là*	*celle-là*
these (ones)	*ceux-ci*	*celles-ci*
those (ones)	*ceux-là*	*celles-là*

Celui/ceux/celle(s) are sometimes used without **-ci** or **-là**:

*Des deux projets, je préfère **celui** que tu as proposé.* . . . the one . . .

*Des deux offres, **celle** de Bernard est la plus avantageuse.* . . . Bernard's (⟶ 'that of' Bernard)

- Other pronouns:

  Ça

  Je préfère ça. I prefer this/that.

  Ça t'intéresse? Are you interested? (i.e. Does this/that interest you?)

  Tu aimes ça? Do you like this/that?

  Ça s'appelle comment? What's this/that called?

  Ça m'étonne. I'm surprised. (i.e. This/That surprises me.)

  Ça nous est égal. We don't mind. (i.e. This/That is all the same to us.)

  Ceci this or *cela* that, which are more formal, are sometimes used instead of *ça*.

  Ce/C'

  C'est facile. It/This/That is easy.

  Ce sera marrant. It/This/That will be fun.

  Ce qui/Ce que/Ce dont: see relative pronouns **11a**, **11c**.

6 Les adverbes *Adverbs* ◀◀ p61

Adverbs qualify verbs, adjectives or other adverbs, providing information as to how, when, where, etc.: *vite, rarement, partout* . . .

6a La formation des adverbes *Formation of adverbs*

- An adverb can qualify a verb, an adjective or another adverb:

  *Elle travaille **peu**, elle est **assez** instable et elle bavarde **beaucoup** trop.*

  She works little, she's quite unbalanced and she chats far too much.

- Adverbs are invariable, which means that their endings always remain identical.

- You probably use many adverbs without realising it. Here are just a few:

  bien/mal

  mieux better/*plus mal* worse

  vite/lentement

  trop/beaucoup/assez/peu

  toujours/souvent/quelquefois/de temps en temps/rarement/pas/jamais

  plus/aussi/moins

  de plus en plus/de moins en moins/de mieux en mieux

  devant/derrière

  plus/moins

  hier/demain

  ici/là . . .

- The suffix **-ment** is the French equivalent of the English adverb ending **-ly**. Sometimes it is added to the feminine form of the adjective:

  (brutal) brutale ⟶ **brutalement** (brutally)

  (stupide) stupide ⟶ **stupidement** (stupidly)

  (gai) gaie ⟶ **gaiement** (cheerfully)

  (nouveau) nouvelle ⟶ **nouvellement** (newly)

  (régulier) régulière ⟶ **régulièrement** (regularly)

- Some adverbs in **-ment** do not follow that rule. They are best learn by heart:
  - adjectives ending in **-ant/-ent**: *(constant)* **constamment** *(fréquent)* **fréquemment**
  - **-e** of adjective becomes **-é**: *(énorme)* **énormément** *(profonde)* **profondément**
  - other: *(naïf)* **naïvement** *(bref)* **brièvement** *(gentil)* **gentiment**

- Some adjectives can be used as adverbs, in which case they are invariable:
  - *parler* **bas/haut** or **fort** (to speak softly/loudly)
  - *coûter* **cher** (to cost a lot)
  - *sentir* **bon/mauvais** (to smell nice/bad)
  - *voir* **clair** (to see clearly)
  - *marcher* **droit** (to walk straight)
  - *travailler* **dur** (to work hard)

- Other useful structures:
  - **Comme** *c'est laid!* Isn't it ugly!
  - *Il n'a* **même** *pas appelé!* He didn't even phone!
  - *Appelle-moi* **n'importe** *où,* **n'importe** *quand.* Call me anywhere, any time.

6b La position des adverbes *Position of adverbs*

- Adverbs are generally placed after the verb:
  - *Vous parlez* **sérieusement?*   *J'ai mangé* **énormément.**
  - *Il ne m'écoute pas* **souvent.**   *Je n'ai pas bu* **énormément.**

- In compound tenses (*avoir* or *être* + past participle), *shorter* adverbs are placed before the past participle (*J'ai trop mangé. Je n'ai pas assez mangé.*), except for adverbs of place and many adverbs of time (*J'ai couché ici. Ils sont venus hier.*).

- Adverbs qualifying an adjective or another adverb normally come first:
  - *Elle est* **assez** *instable.*   *Elle bavarde* **beaucoup** *trop.*

- Watch out:
  - *Il a* **encore** *gagné.* He's won again.   *Il n'a pas* **toujours** *gagné.* He hasn't always won.
  - *Il n'a pas* **encore** *gagné.* He hasn't yet won.   *Il n'a* **toujours** *pas gagné.* He still hasn't won.

6c Comment éviter les adverbes longs *Avoiding long adverbs*

- *avec* + noun:
  - *(clair) clairement = avec clarté*
  - *(lent) lentement = avec lenteur*
    - *Elle s'exprime avec aisance (= Elle s'exprime aisément).* She expresses herself easily.

- *d'un air . . .   d'un ton . . .   d'une voix . . .   de façon/d'une façon . . .   de manière/d'une manière . . .   + adjective:*
  - *Il s'est excusé d'un air confus (= Il s'est excusé confusément).* He apologised confusedly.

---

7 La comparaison *Comparisons* ◀ pp13, 20

7a Le comparatif *The comparative*

- more . . . (than)   *plus* + adjective/adverb (+ *que*)
  - bigger/smaller etc. (than)   *plus* + adjective/adverb (+ *que*)
  - as . . . (as)   *aussi* + adjective/adverb (+ *que*)
  - less . . . (than)   *moins* + adjective/adverb (+ *que*)

  Remember that adjectives agree (adverbs don't):
  - *L'usine est* **moins** *grande mais fonctionne* **plus** *efficacement* **qu**'*avant.*
  - The factory is smaller (less big) but it performs more efficiently than before.

- more and more   *de plus en plus*
  - less and less   *de moins en moins*

- better (◀ adverb) (than)   *mieux (que)* (superlative of *bien*)
  - better (◀ adjective) (than)   *meilleur(e)(s) (que)* (superlative of *bon*)
  - worse (than)   *pire(s)/plus mauvais(e/s) (que)*

  - *Il se concentre* **mieux que** *toi, donc son travail est* **meilleur que** *le tien.*
  - He concentrates better than you, so his work is better than yours.

- more (+ noun) (than)   *plus de/d'* (+ noun) (than)
  less/fewer (+ noun) (than)   *moins de/d'* (+ noun) (than)
  as much/many (+ noun) (than) *autant de/d'* (+ noun) (than)

  *J'ai **moins de** travail mais **autant** de soucis que toi.* I have less work but as many worries as you.

7b Le superlatif *The superlative*

- the most + adjective   *le/la/les plus* + adj.   *les plus chers*
  the biggest/smallest . . . etc. *le/la/les plus* + adj.   *la plus grande/petite . . .* etc.
  (the) most + adverb   *le plus* + adv.   *le plus souvent*
  (the) fastest   *le plus* + adv.   *le plus vite*
  the most + noun   *le plus **de***   *le plus de problèmes*

- the least + adjective   *le/la/les moins* + adj.   *les moins compliquées*
  (the) least + adverb   *le moins* + adv.   *le moins régulièrement*
  (the) slowest . . . etc   *le moins* + adv.   *le moins rapidement . . .* etc.
  the least + noun   *le moins **de***   *le moins d'accidents*

  *Elle est **la moins** expérimentée mais elle fait **le plus** de travail.*
  She is the least experienced but she does the most work.
  *En été, ils vont **le plus souvent** en France.* In summer, they most often go to France.

- (the) best (adverb)   *le mieux*   (superlative of *bien*)
  the best (adjective)   *le/la/les meilleur(e)(s)*   (superlative of *bon*)
  the worst (adverb)   *le plus mal*   (superlative of *mal*)
  the worst (adjective)   *le/la/les plus mauvais(e/s)* or *le/la/les pire(s)* (superlative of *mauvais*)

  *C'est **la plus vieille** moto.* or *C'est la moto **la plus vieille**.*
  *C'est la moto **la plus vieille** du rallye mais c'est celle qui marche **le mieux**.*
  It's the oldest motorbike in the rally, but it's the one which runs (the) best.

---

8 La négation *Negatives* ◀ p56

8a Expressions-clés *Key phrases*

- not *ne . . . pas*   . . . go on each side of the verb or the auxiliary:
  never *ne . . . jamais*   *Il **ne** pleut **plus**.* It's no longer raining.
  no longer *ne . . . plus*   *Tu **n'**as **guère** mangé.* You've hardly eaten.
  nothing *ne . . . rien*   *Ne travaille **pas** tant!* Don't work so hard!
  hardly *ne . . . guère*   *Je **ne** peux **rien** boire.* I can't drink anything.
                             except with infinitives:
                             *Je préfère **ne pas** boire.* I prefer not to drink.

- nobody *ne . . . personne*   . . . go on each side of the verb/past participle:
  nowhere *ne . . . nulle part*   *Il **n'**a fait **aucun** effort.* He's made no effort.
  none *ne . . . aucun(e)*   *Il **n'**a **que** 25 ans.* He's only 25.
  only *ne . . . que*   *N'ajouter **que** le jaune.* Only add the yoke.
  neither . . . nor *ne . . . ni*

- *Personne, rien* and *aucun(e)* can also be used as subjects:
  ***Personne** n'est venu?* No one came?
  *Qu'est-ce que j'ai bu? **Rien**!* What did I drink? Nothing!

- When answering a negative question positively, use *si* instead of *oui*:
  – *Il ne pleut pas?* – Isn't it raining?
  – *Si, mais pas beaucoup.* – Yes, but not a lot.

8b Ne

Ne becomes *n'* before a vowel or a silent **-h**.
    *Elles **n'**habitent **plus** ici.*

- In relaxed conversation, *ne* is often omitted:
  Il n'est pas venu? ⟹ *Il est pas venu?*
  Je n'aime pas ça. ⟹ *J'aime pas ça.*

- When pronouns precede a verb, *ne* is placed first:
  Tu ne me feras pas changer d'avis. You won't make me change my mind.

8c Non

- *Tu aimes ça? Moi,* **non**. Do you like that? I don't.
  Je suis désolé, mais c'est **non**. I'm sorry, but it's a no.
  Tu viens, oui ou **non**? Are you coming, yes or no?
  Tu dis que tu m'aimes? Je pense que **non**. You say you love me? I think not.

- *. . . non plus* = neither/not either:
  Tu n'y vas pas? Moi **non plus**. *Ça ne m'intéresse pas* **non plus**.
  Aren't you going? Me neither. I'm not interested in it either.

8d Pas et plus

not really *pas vraiment*	*Il ne dit pas vraiment la vérité.*
not me/you . . . *pas moi/toi . . .*	*J'aime ça, pas vous?*
never again *plus jamais* (or: *jamais plus*)	*Je ne l'inviterai plus jamais.*

9 L'interrogation *Interrogatives* ◀ p16

Interrogatives are words used for asking questions: *quand, où, pourquoi . . .*

9a Comment formuler une question *Question styles*

There are three different styles of question in French:

- **A** Informal (spoken or written): *. . . ?*
  Tu veux parler au maire?

- **B** Widely accepted (spoken or written): ***est-ce que . . . ?***
  Est-ce que *vous voulez parler au maire?*
  Pourquoi ***est-ce que*** *vous voulez parler au maire?*

- **C** More formal (mainly in writing): subject-verb inversion.
  Veux-tu *parler au maire?*
  Grégory ***veut-il*** *parler au maire?* (subject repeat: *Grégory* and *il*)
  Grégory ***va-t-il*** *parler au maire?* (subject repeat and **-t-** between vowels)
  Grégory ***a-t-il*** *parlé au maire?* (inversion with auxiliary in compound tenses)

9b Les questions négatives *Negative questions*

- Yes/no questions:
  A *Tu ne sors pas?*   (**B** not normally used)   **C** *Ne sors-tu pas?*
  A *Tu n'es pas sorti?*   **C** *N'es-tu pas sorti?*

- Other questions:
  A *Pourquoi tu n'es pas sorti?* or *Pourquoi t'es pas sorti?* (see **8b**)
  B *Pourquoi est-ce que tu n'es pas sorti?*
  C *Pourquoi n'es-tu pas sorti?*

9c What?

- As subject: What happened? ***Qu'est-ce qui*** *s'est passé?*

- As object: What are you looking for?
  A *Tu cherches* **quoi**?
  B ***Qu'est-ce que*** *tu cherches?*
  C ***Que*** *cherches-tu?*

- *Qu'est-ce qui* [kɛski] *Qu'est-ce que* [kɛsk]

- *Avec quoi?* What with?

9d Which? / Which one(s)?

- *Quel(s) . . . ?/Quelle(s) . . . ?*
  A *Tu veux* **quelle** *date?*
  B **Quelle** *date est-ce que tu veux?*
  C **Quelle** *date veux-tu?*

- *Lequel/laquelle/lesquels/lesquelles . . . ?*
  A *Tu préfère* **lequel**?
  B **Lequel** *est-ce que tu préfères?*
  C **Lequel** *préfères-tu?*

9e Who?

- As subject: **B** *Qui est-ce qui me connaît?*
  C *Qui me connaît?*

- As object: **A** *Tu connais* **qui**?
  B *Qui est-ce que tu connais?*
  C *Qui connais-tu?*

9f Autres expressions *Other phrases*

- *Combien (de)* how many/much
  quand when
  où where
  pourquoi why
  comment how
  à quelle heure what time
  avec qui with whom

pour qui for whom
jusqu'à quand until when
d'où where . . . from

A *Tu vas rentrer quand?*
B *Où est-ce que tu vas aller?*
C *Combien d'argent as-tu?*

---

10   Les pronoms personnels *Personal pronouns*

Personal pronouns replace a noun (or sometimes a phrase), generally to avoid repetition.

10a Le pronom personnel sujet *Subject pronouns*

Je, tu, il, elle, on, nous, vous, ils, elles are used as subjects in a sentence.

- Singular 'you': *tu* or *vous*?
  Vous is used much more than you may think. Only use *tu* to address a person your age (if you are below 20 or so) or younger, a relative or an adult you know very well. If in doubt, use *vous*. If people would rather be addressed as *tu*, they will let you know:
  Non, non, il ne faut pas me vouvoyer. Il faut me tutoyer.

- *On* is used very frequently instead of *nous*, especially in speaking:
  On mange à quelle heure?   *On y va?*

- Note the two accepted spellings of the past participle with *être*:
  On est déjà arrivé(s)?

- *On* can also translate 'one'/'you'/'they'/'someone' . . . , meaning people in general:
  A Paris, on circule mal.   *On peut fumer ici?*
  On a téléphoné?

- *On* can be used instead of the passive (see **28**), which is less common in French than English:
  On a arrêté deux femmes. Two women have been arrested. (⇐⟾ One has arrested . . .)

- When 'they' refers to a group containing at least one masculine element, use *ils*:
  Julie *et* **le chien**? **Ils** *sont dans le jardin.*

10b Pronoms pronominaux *Reflexive pronouns*

- *Me, te, se, nous, vous, se* are used with reflexive verbs – so called because the action 'reflects' back on the subject – and do not normally require a translation:
  Tu **te** *dépêches?* Will you hurry up? (⇐⟾ hurry 'yourself' up)

- In positive commands, however, the reflexive pronoun goes after the verb, and *toi* is used instead of *te*:
  *Dépêche-***toi***! Dépêchez-***vous***!*

- In negative sentences – including commands -, *ne* comes first:
  Je ne **me** *dépêche jamais.*   *Ne* **t'**endors pas!*

- Common reflexive verbs:

s'en aller to go away	*s'endormir* to fall asleep	*s'occuper de* to look after/take care of
s'amuser to enjoy oneself	*s'ennuyer* to be bored	*se passer* to happen/take place
s'appeler to be called	*s'excuser* to apologize	*se promener* to go for a walk
s'arrêter to stop	*se fâcher* to get angry	*se rappeler* to remember
s'asseoir to sit down	*s'habiller* to get dressed	*se raser* to have a shave
se baigner to bathe/have a bath	*s'inquiéter* to worry	*se retourner* to turn round
se battre to have a fight	*s'installer* to settle down	*se réveiller* to wake up
se blesser to hurt/injure oneself	*se laver* to have a wash	*se sauver* to run away/escape
se coucher to go to bed	*se lever* to get up	*se souvenir (de)* to remember
se demander to wonder	*se mettre à* to start to	*se taire* to be/keep quiet
se dépêcher to hurry up	*se mettre en route* to set off	*se tromper* to be mistaken
se déshabiller to undress	*se moquer de* to laugh at	*se trouver* to be (situated)

10c **Les pronoms personnels compléments** *Object pronouns* ◀◀pp84&123

Direct object		Indirect object	
me	*me/m'*	(to) me	*me/m'*
you	*te/t'*	(to) you	*te/t'*
him/it	*le/l'*	(to) him/it	*lui*
her/it	*la/l'*	(to) her/it	*lui*
one	*se/s'**	one	*se/s'**
us	*nous*	(to) us	*nous*
you	*vous*	(to) you	*vous*
them	*les*	(to) them	*leur*

*Use in the sense of 'at/to/with . . . one another/each other':
    On s'appelle demain et on se voit samedi, si possible?   Let's call each other . . .

● Direct object pronouns replace a noun/idea which is a direct object (no *à* between the verb and the object):
    *Oui, je connais **votre fille**. Je **la** vois au lycée.*   . . . I see her . . .
    *Elle va **se marier** mais elle ne veut pas **le** faire cette année.*   . . . doesn't want to do it . . .

● Indirect object pronouns replace a noun linked to the verb by the preposition *à*:
    *Ma prof? Je **lui** ai parlé mais je ne **lui** ai pas tout expliqué.*   . . . I spoke to her . . .

● Object pronouns go before the verb or the auxiliary *avoir/être* (see above).
    In positive commands they go after the verb, and *moi/toi* are used instead of *me/te*:
    Regardez-moi et parlez-moi!

● When two pronouns are used, the direct object pronoun goes first. Notice, however, that the word order is different in commands:
    – *Tu as dit à Max qu'elle avait téléphoné?*
    – *Oui, je **le lui** ai dit, mais répète-**le-lui**.*   Yes, I told him so (=I said it to him) . . .

● Common verbs which take an indirect object:

acheter . . . à to buy . . . from	*parler à* to speak to
donner . . . à to give	*prêter . . . à* to lend
écrire (. . .) à to write to	*renoncer à* to give up
jouer à to play (games/sport)	*répondre à* to answer
(dés)obéir à to (dis)obey	*résister à* to resist
montrer . . . à to show	*ressembler à* to look like
offrir . . . à to give	*téléphoner à* to phone
pardonner à to forgive	*vendre . . . à* to sell

10d **Les pronoms emphatiques** *Emphatic pronouns*

● *Moi, toi, lui, elle, soi, nous, vous, eux, elles* – also called stressed pronouns – are used:
    – after a preposition: *Ça vient de **lui**? Et c'est pour **moi**?* ◀◀p108
    – for emphasis: ***Moi**, je suis difficile, mais **eux**, je les aime bien.*
    – with *c'est/c'était . . .* : *Ahmed, c'est **toi**?*
    – to express possession: *Non, non, c'est le leur. C'est **à eux**.*
    – following *et*: *Son frère et **lui** habitent ensemble.*
    – in comparisons: *Je suis moins patiente qu'**eux**.*
    – before a relative pronoun: *C'est vraiment **lui** qu'elle va épouser?*
    – with *même(s)* (-self, -selves): *Ils ont construit leur maison **eux-mêmes**.*
    – with *aussi* and *seul(e)*: ***Elle aussi** était mariée, mais **moi seule** le savait.*

10e **Le pronon «y»** ◀◀p105

● *Y* replaces *à/en* + place name to avoid repetition. It is either omitted altogether in English, or translated as 'there':
    *Son magasin est génial: on **y** trouve de tout!*   . . . you can find anything (there)!
    – *Tu aimes le cinéma?*
    – *Oui, j'**y** vais assez souvent.*   . . . I go (there) quite often.

● *Y* can replace *à* + noun/verb with verbs like *arriver à* (to succeed in), *croire à* (to believe in) . . . (see **13c**):
    *Au tennis? Tu **y** joues souvent?*   How about tennis? Do you play often?
    – *Tu as sorti le chien?*
    – *Oui, j'**y** ai pensé.*   Yes, I remembered (= Yes, I thought about it).

- Useful expressions:
  Ça y est? Are you ready/finished?
  Ça y est! That's it!/I'm done!
  On y va? Shall we go?
  Bon, j'y vais. Right, I'm off.

  Vas-y!/Allez-y! Go on!/Go ahead!
  Je m'y connais. I'm an expert.
  Je n'y comprends rien! I don't understand a thing!

10f Le pronon «en» ◀◀ p99

- *En* can replace an object – to avoid repetition – when expressing a quantity. It has no translation in English:
  – *Je n'ai pas de billet.*
  – *Ça va, j'en ai deux.* . . . I have two.
  Tu cherches un vase? Il y en a plusieurs sur mon bureau. . . . There are several . . .
  Vous aimez le gâteau? Prenez-en plus. . . . Take (some) more.

- *En* can replace *du/de la/de l'/des* + noun, where it translates as 'some/any':
  Du champagne rose? Je n'en ai jamais bu! . . . I've never had any!

- *En* is used in expressions of quantity that relate to a noun + *de*:
  Des timbres? J'en ai des centaines! (◀▬▬▶ *J'ai des centaines de timbres*)

- *En* can replace *de* + noun after certain verbs. It translates as 'him/her/it/them/some/any':
  J'ai besoin de tes notes ▬▶ *J'en ai besoin.* I need them.
  Tu te souviens de sa femme? ▬▶ *Tu t'en souviens?* Do you remember her?

- Common verbs followed by *de* + noun:
  s'apercevoir de to notice
  avoir besoin de to need
  changer de to change

  discuter de to talk about
  se servir de to use
  se souvenir de to remember

- Useful expressions:
  J'en ai assez! I've had enough!
  J'en ai marre! I'm fed up!
  Je m'en vais. I'm off.
  Va-t-en!/Allez-vous-en! Go away!

  Je vous en prie. Don't mention it.
  Je m'en doute! I can well imagine!
  Je n'en sais rien! I have no idea!

10g L'ordre des pronoms personnels *Position of personal pronouns*

- When several pronouns are used, follow this order:

me te se nous vous	le la les	lui leur	y	en

*Et son cadeau? Tu **le lui** as donné? Je ne **lui en** ai pas parlé.*
And his/her present? Did you give it to him/her? I didn't speak to him/her about it.

*Et la date de ton mariage? Tu **la leur** as annoncée?*
How about the date of your wedding? Have you announced it to them?

*Il n'aime pas les roses mais il **m'en** a acheté un énorme bouquet.*
He doesn't like roses but he bought me a huge bunch (of them).

*Il reste de la tarte. Donne-**lui-en**.* (positive command) There is some pie left. Give him some (of it).
*Ta voiture? Ne **la lui** prête pas!* (negative command) Your car? Don't lend it to him!
*Il veut **lui en** parler?* (verb + infinitive) He wants to tell her about it?

11 Les pronoms relatifs *Relative pronouns*

Relative pronouns introduce a clause and normally refer back to a word or phrase that precedes them (the antecedent): *qui, où, dont . . .*

11a Qui ou que/qu'? *Who / whom / which / that* ◀◀ p27

- *Qui* relates to someone/something that is the subject of the verb that follows:
  *J'ai refusé l'emploi **qui** était dans le journal.*
  I've rejected the job which was in the paper. (*The job* – subject – was in the paper.)

- *Que/qu'* relates to someone/something that is the object of the verb that follows:
    *J'ai refusé l'emploi **que** tu voulais.* I've rejected the job (which) you wanted. (You wanted *the job* – object).

- When referring to people (not things) *qui* can also be used after a preposition: *à qui / avec qui / pour qui / sans qui . . .* :
    *Tu connais le dentiste **avec qui** j'ai déjeuné?*
    Do you know the dentist I had lunch with? (. . . *with whom* I had lunch?).

- *Ce qui/que* (What) – use *ce qui* when referring to the subject of the verb and *ce que/qu'* when referring to the object:
    *Sa réaction est **ce qui** m'intéresse.* (◄▬▬► *Sa réaction m'intéresse*) His/her reaction is what interests me.
    *Sa réaction est **ce que** je redoute.* (◄▬▬► *Je redoute **sa réaction***) His/her reaction is what I fear.

- *Celui (ceux, celle, celles) qui/que* (The one . . .) work in parallel with *ce qui/ce que* above. They can refer to persons or objects:
    *Oui, j'ai deux cousins. **Celui que** tu connais est divorcé et **celui qui** vit à Paris est marié.*
    Yes, I have two cousins. The one you know is divorced and the one who lives in Paris is married.

11b Lequel, lesquels, laquelle, lesquelles *Which*

- These pronouns can be used after a preposition (*avec, sans, pour . . .*). If you find them difficult to use, use the alternatives in brackets:
    *J'ai trouvé le placard **dans lequel** il s'était caché.* (= . . . **où** il s'était . . .)
    I found the cupboard in which he had hidden. (where he had hidden)
    *Tu connais le dentiste **avec lequel** j'ai déjeuné?* (= . . . **avec qui** . . .)
    Do you know the dentist with whom I had lunch? (who I had lunch with)

- With *à*, use *auquel/à laquelle/auxquels/auxquelles*, and with *de*, use *duquel/de laquelle/desquels/desquelles*:
    *C'est la fille **à laquelle** j'ai demandé de sortir avec moi.* (= . . . **à qui** . . .)
    She's the girl who I asked to go out with me.
    *Tu as vu le film **duquel** je t'ai parlé?* (= . . . **dont** . . . (see **11c**))
    Have you seen the film which I told you about?

11c Dont *(Of) which/(of) whom/whose* ◄◄ p98

- *Dont* relates to the object in clauses containing a verb with *de*: *parler de, avoir besoin de, se servir de . . .* (see **13b**):
    *J'ai acheté le magazine **dont** tu m'avais parlé.* (*parler **du** magazine*)
    I've bought the magazine you'd told me about. (◄▬▬► of which you'd told me)

- *Dont* can be translated as 'whose'. Notice the use of an article after *dont*:
    *Ce sont les gens **dont** le fils a gagné à la loterie.* These are the people whose son won the lottery.
    Notice the word order in this example:
    *C'est l'actrice **dont** tu connais le mari?*
    Is she the actress whose husband you know? (=. . . of whom you know the husband)

- *Dont* can also mean 'including':
    Nous étions cinq, dont mon frère. There were five of us, including my brother.

- *Ce dont* can replace a verb structure with *de*:
    ***Ce dont** il rêve, c'est d'émigrer.* (◄▬▬► *Il rêve d'émigrer*) What he dreams of is emigrating.

11d Où *Where / when*

- *Où* = where:
    *J'aime beaucoup la ville **où** je suis née.* I very much like the town where I was born.

- *Où* = when, in some expressions of time: *le jour/le moment/l'année/la fois . . .* :
    *Il a plu constamment la semaine **où** elle est venue.* The week (when) she came, it rained constantly.

---

12 Les prépositions *Prepositions*

Prepositions establish a relationship with the noun or pronoun that follows: ***avec** ses enfants;* ***pour** lui . . .*

12a Les prépositions avant un nom *Prepositions + nouns*

Here are the most common English prepositions, with their most common translations. Use a dictionary for further examples:

At
à Noël
à cinq heures
chez le boucher (person)
à la boucherie (place)
au restaurant (place)

On
à pied; à cheval
à la page 27
à gauche
le mardi
dans le bus
en vacances
sur la table

In
dans mon sac
dans deux heures
en Pologne (feminine country)
au Japon (masculine country)
à Paris (town)
à la campagne
au lit
en anglais
en 1998

To
en Pologne (feminine country)
au Japon (masculine country)
à Paris
à la campagne
au lit
chez le boucher (person)
à la boucherie (place)
au restaurant (place)

12b Les prépositions avant un verbe *Preposition + verb*

- When used after a preposition, verbs should always be in the infinitive:
  *J'ai offert **de** les aider.* I offered to help them.
  Exception: *en* + present participle (see **17**).

- Prepositions *à/de* + verb: see **13c** and **13d**.

- Other prepositions:
afin de in order to	*(finir/commencer) par* by (. . . ing)
au lieu de instead of	*pour* to; in order to; so as to
avant de before (. . . ing)	*sans* without (. . . ing)
de peur de for fear that	*sur le point de* about to
en train de in the process of	

  Il a fini par accepter pour me faire plaisir. He ended up agreeing to make me happy.

13 L'infinitif *The infinitive* ◀ pp85 & 92

The infinitive is the basic verb form found in dictionaries: to help, to ask . . . French infinitives end in **-er**, **-ir** or **-re**.

13a Usage *Uses*

- On its own: *Ne pas fumer.* No smoking.

- After a verb: *Je peux fumer?* May I smoke?

- After a preposition: *On n'a pas le droit de fumer ici.* Smoking is forbidden here.
  Il m'a autorisé à fumer. He allowed me to smoke.

- As a noun: *Fumer rend malade.* Smoking makes you ill.

13b Verbe + infinitif *Verb + infinitive*

adorer to love to/(. . . ing)	*falloir* to have to
aimer to like to/(. . . ing)	*laisser* to let
aller to go (and)	*monter* to go up (and)
compter to intend to	*oser* to dare
croire to think, believe	*pouvoir* to be able to
descendre to go down (and)	*préférer* to prefer to/(. . . ing)
désirer to wish to	*prétendre* to claim to
détester to hate (. . . ing)	*regarder* to watch
devoir to have to	*savoir* to know how to
entendre to hear . . . (. . . ing)	*sembler* to seem to
envoyer to send . . . to	*souhaiter* to wish to
espérer to hope to	*valoir mieux* to be better to
faire to make	*vouloir* to want to

● Notice the variety of structures in English:

Je crois pouvoir t'aider. I think I can help you.
Va leur demander. Go and ask them.
J'aime mieux nager. I prefer swimming.

13c Verbe + «à» + infinitif *Verb + à + infinitive*

aider . . . à to help . . . to
s'amuser à to enjoy (. . . ing)
apprendre (à . . .) à to learn (teach . . .) to
s'apprêter à to be about to
arriver à to succeed in
s'attendre à to expect to
autoriser . . . à to allow . . . to
avoir . . . à to have . . . to
chercher à to try/seek to
commencer à to begin to
consister à to consist in
continuer à to continue to
se décider à to make up one's mind to

s'habituer à to get used to (. . . ing)
hésiter à to hesitate to
inviter . . . à to invite . . . to
se mettre à to start to
obliger . . . à to oblige . . . to
passer son temps à to spend one's time (. . . ing)
perdre son temps à to waste one's time (. . . ing)
se préparer à to prepare oneself to
renoncer à to give up (. . . ing)
réussir à to succed in (. . . ing)/manage to
servir à to be used for (. . . ing)
songer à to think of (. . . ing)/remember to
tenir à to be keen to

J'ai des lettres à poster. I have letters to post.
Elle a cherché à me convaincre. She tried to convince me.

13d Verbe + «de» + infinitif *Verb + de + infinitive*

Some of these verbs, as indicated, can take an indirect object (*à* + person) + *de* + infinitive:

accepter de to agree to
accuser . . . de to accuse . . . of
(s')arrêter de to stop (. . . ing)
avoir besoin de to need to
avoir envie de to feel like (. . . ing)
avoir peur de to be scared of (. . . ing)
conseiller (à . . .) de to advise . . . to
décider de to decide to
défendre (à . . .)de to forbid . . . to
demander (à . . .) de to ask . . . to
dire (à . . .) de to tell . . . to
s'efforcer de to strive to
empêcher (à . . .) de to prevent . . . from (. . . ing)
essayer de to try to
éviter de to avoid (. . . ing)
faire semblant de to pretend to
finir de to finish (. . . ing)
interdire (à . . .) de to forbid . . . to

jurer (à . . .) de to swear to
menacer . . . de to threaten . . . to
mériter de to deserve to
offrir (à . . .) de to offer to
ordonner (à . . .) de to order . . . to
oublier de to forget to
permettre (à . . .) de to allow . . . to
persuader . . . de to persuade . . . to
promettre (à . . .) de to promise to
proposer (à . . .) de to offer to/suggest (. . . ing)
refuser de to refuse to
regretter de to regret (. . . ing)
risquer de to risk (. . . ing)
se souvenir de to remember to
suggérer (à . . .) de to suggest (. . . ing)
tenter de to try to
venir de to have just (+ past part.)

J'ai refusé d'aider mon fils. I refused to help my son.
Tu risques de te faire mal au dos. You risk hurting your back.

13e Adjectif + «à/de» + infinitif *Adjective + à/de + infinitive*

difficile à hard to
facile à easy to
impossible à impossible to
le premier à the first to
le seul à the only one to
prêt à ready to

capable de capable of (. . . ing)
certain de certain to
content de happy to
heureux de happy to
ravi de delighted to
sûr de sure to

C'est facile à dire. It's easy to say.
Je suis sûre d'échouer! I'm sure to fail!

13f Autres prépositions + infinitif *Other prepositions + infinitive*

● See **12b**.

13g Quantité + «à» + infinitif *Quantity + à + infinitive*

beaucoup à	quelque chose à
énormément à	rien à
moins à	suffisamment à
plus à	trop à

Je n'ai rien à vous dire! I have nothing to tell you!

---

14 ▶ **Le présent** *The present tense* ◀ p10

- Verb endings often depend on infinitive endings: **-er/-ir/-re**.
- The present is possibly the 'messiest' tense and the **-er/-ir/-re** approach you may have come across in the past rarely works for **-ir/-re** verbs, hence the four patterns below.
- For less common verbs not listed here nor on pp166–73, consult your dictionary. The *Collins-Robert French Dictionary* numbers each verb definition, and these numbers refer to the verb tables at the back. This is useful because, often, just two or three 'irregular' verbs share a pattern of their own.

14a Conjugaison *Formation*

	1	2	3	4
je	compt**e**	rempl**is**	condu**is**	rend**s**
tu	compt**es**	rempl**is**	condu**is**	rend**s**
il	compt**e**	rempl**it**	condu**it**	rend
elle	compt**e**	rempl**it**	condu**it**	rend
on	compt**e**	rempl**it**	condu**it**	rend
nous	compt**ons**	rempl**issons**	condu**isons**	rend**ons**
vous	compt**ez**	rempl**issez**	condu**isez**	rend**ez**
ils	compt**ent**	rempl**issent**	condu**isent**	rend**ent**
elles	compt**ent**	rempl**issent**	condu**isent**	rend**ent**

Pattern 1
Most -*er* verbs + *cueillir* to pick, *découvrir, offrir, ouvrir, souffrir*: *je cueille, tu cueilles . . .*
Pattern 2
Some -*ir* verbs: *choisir, établir, finir, remplir* to fill, *saisir* to seize, grab (see also **p167** *connaître*)
Pattern 3
Some -*re* verbs: *conduire* to drive, *cuire* to cook, *lire, séduire, suffire*
Pattern 4
Some -*re* verbs: *attendre, descendre, perdre, rendre* to return,give back, *vendre*

14b Verbes semi-irréguliers *Semi-irregular verbs*

- Verbs ending in -*cer* (*commencer*): *nous commençons* – cedilla to retain the **-c-** sound of the infinitive.
- Verbs ending in -*ger* (*manger*): *nous mangeons* – **-e-** to retain the **-g-** sound of the infinitive.
- Verbs ending in -*eler* (*s'appeler*) or -*eter* (*jeter* to throw): double **l** or double **t** except with *nous/vous*:
  je jette, tu jettes, il jette, nous jetons, vous jetez, ils jettent.
- *Acheter, achever* to finish, *amener* to bring, *emmener* to take away, *geler* to freeze, *peser* to weigh, *se promener*: **-è-** except with *nous/vous*:
  j'achète, tu achètes, il achète, nous achetons, vous achetez, ils achètent.
- *Compléter, exagérer, inquiéter, libérer, posséder, préférer, protéger, répéter, suggérer* – **-è-** except with *nous/vous*:
  je suggère, tu suggères, il suggère, nous suggérons, vous suggérez, ils suggèrent.
- *Employer, ennuyer, envoyer, essayer, essuyer, nettoyer, payer* – **-y-** usually only remains with *nous/vous*:
  je paie, tu paies, il paie, nous payons, vous payez, ils paient.

14c Verbes irréguliers *Irregular verbs*

- Most common irregular verbs (see pp166–73):
  aller – devoir – dire – écrire – être – faire – lire – mettre – ouvrir – partir – pouvoir – préférer – prendre – savoir – sortir – venir – voir – vouloir

14d Usage *Using the present*

- The present tense is used to describe:
  - continuous action: I **am drawing**. *Je dessine.*
  - current state: I **am blond**. *Je suis blond.*
  - regular action: I **draw** every night. *Je dessine tous les soirs.*

- You can, instead, use *être en train de* + infinitive to emphasize that something is in the middle of happening:
  Je suis en train de dessiner. I am drawing / I am in the middle of drawing.

- As in English, the present tense sometimes refers to the near future:
  *Je **vais** en ville ce soir.* I'm going to town this evening.

- It is sometimes used to make the past feel more immediate and dramatic:
  *A 3h ce matin, un avion **se pose** d'urgence sur l'autoroute.* . . . a plane landed . . .

- It is used in these structures, where English uses the perfect continuous or the perfect:
  J'attends depuis 5h. I've been waiting since 5 o'clock.
  *J'attends depuis 20 minutes./**Il y a/Ça** fait 20 minutes **que** j'attends.*
  I've been waiting (for) 20 minutes.
  *Je **viens** d'arriver.* I've just arrived.

15 Le futur *The future tense* ◀ p35

15a Conjugaison *Formation*

Add these endings to the **-r** of the infinitive ending:

je ◀▬▶ **-ai**		*nous* ◀▬▶ **-ons**	
tu ◀▬▶ **-as**		*vous* ◀▬▶ **-ez**	
il/elle/on ◀▬▶ **-a**		*ils/elles* ◀▬▶ **-ont**	

changer ▬▶ *je changer**ai*** . . .
finir ▬▶ *je finir**ai*** . . .
lire ▬▶ *je lir**ai*** . . .
lire – *je lir**ai**, tu lir**as**, il/elle/on lir**a**, nous lir**ons**, vous lir**ez**, ils/elles lir**ont***

15b Verbes irréguliers *Common irregular verbs (irregular stem but regular endings):*

aller ▬▶ *j'irai*. . .	*il faut* ▬▶ *il faudra* . . .
avoir ▬▶ *j'aurai* . . .	*pouvoir* ▬▶ *je pourrai* . . .
courir ▬▶ *je courrai* . . .	*recevoir* ▬▶ *je recevrai* . . .
devoir ▬▶ *je devrai* . . .	*savoir* ▬▶ *je saurai* . . .
envoyer ▬▶ *j'enverrai* . . .	*venir* ▬▶ *je viendrai* . . .
être ▬▶ *je serai* . . .	*voir* ▬▶ *je verrai* . . .
faire ▬▶ *je ferai* . . .	

- *acheter*, etc. (see **14b**): *j'ach**è**terai* . . . (**-è-** instead of **-e-** throughout)
- *employer*, etc. (see **14b**): *j'emploi**e**rai* . . . (**-e-** instead of **-y-** throughout)
- verbs ending in *-eler/-eter* (see **14b**): *appeler* ▬▶ *j'appe**ll**erai* . . . *jeter* ▬▶ *je je**tt**erai* . . .

15c Usage *Using the future*

- The future is used to refer to what will happen:
  Je reviendrai jeudi. I will come back/I will be coming back on Thursday.

- *Aller* + infinitive (to be going to . . .) is also used a lot:
  *Vous **allez** démissionner?* Are you going to resign?

- When referring to the future, English uses the present tense after 'when' and 'as soon as'. French, however, uses the future:
  *Je t'expliquerai **quand** tu **rentreras**.* I'll explain when you get back.
  *Je t'appellerai **dès qu**'elle **partira**.* I'll call you as soon as she leaves.

15d Le futur antérieur *The future perfect*

- This refers to an event that *will* have happened *before* another future event:
  J'aurai mangé quand tu arriveras. I will have eaten when/by the time you arrive.

- **Formation**: future of *avoir/être* + past participle.

16 **Le conditionnel** *The conditional* ◀◀ *p40*

16a Le conditionnel présent: conjugaison *The present conditional: formation*

- Add these endings to the **-r** of the infinitive ending:

  je ◀▥▥▶ **-ais**   nous ◀▥▥▶ **-ions**
  tu ◀▥▥▶ **-ais**   vous ◀▥▥▶ **-iez**
  il/elle/on ◀▥▥▶ **-ait**   ils/elles ◀▥▥▶ **-aient**

  changer ▥▶ *je changer***ais** . . .
  finir ▥▶ *je finir***ais** . . .
  lire ▥▶ *je lir***ais** . . .
  *lire – je lir***ais**; *tu lir***ais**; *il/elle/on lir***ait**; *nous lir***ions**; *vous lir***iez**; *ils/elles lir***aient**

  In fact, conditional present = stem of the future tense + imperfect endings.

- Irregular verbs: as in the future (see **15b**), but with the conditional endings: ***j'irais, j'aurais . . .***

16b Usage du conditionnel présent *Using the present conditional*

- Describing what would happen (. . . if certain 'conditions' were to be met):
  S'il était absent, je **partirais** *plus tôt.* If he were away I'd leave earlier.

- Reported speech:
  Elle a dit qu'elle téléphonerait. She said she'd ring.

- Making allegations or checking facts (news items) not yet confirmed:
  D'après elle, il aurait 40 ans. According to her, he is/would appear to be 40.
  Il serait sur le point de réussir He is said to be about to succeed /Apparently, he is . . .

- Wishes, suggestions and polite requests:
  Je voudrais déménager I'd like to move house.
  Tu devrais te teindre les cheveux. You should dye your hair.
  Pourriez-vous me dire . . . ? Could you please tell me . . . ?

16c Le conditionnel passé *The past conditional*

- Formation – present conditional of *avoir/être* + past participle.

- Uses – translates the idea of 'would have':
  Sans moi, il aurait continué, il serait tombé et il se serait blessé.
  Without me, he would have carried on, and he would have fallen and hurt himself.
  The past conditional of *devoir* is translated by 'should have' and the past conditional of *pouvoir* is translated by 'could have':
  Tu aurais dû m'attendre. You should have waited for me.
  Ils auraient pu m'écrire! They could have written to me!

17 **Le participe présent** *Present participles (or 'gerunds')* ◀◀ *p118*

Present participles are the verb form ending in **-ing** in English and in **-ant** in French.

17a Formation *Formation*

- Formation is based on the *nous* stem of the present tense:
  travaill(ons) ▥▶ *-ant* ▥▶ *travaillant*   *mange(ons)* ▥▶ *-ant* ▥▶ *mangeant*

- Exceptions:
  avoir ▥▶ *ayant*   *être* ▥▶ *étant*   *savoir* ▥▶ *sachant*

17b Usage *Using present participles*

- Present participles are used:
  – frequently with *en* (manner/cause/simultaneity):
  Elle est tombée malade **en buvant** *trop.* She got ill from/through drinking too much.
  Il est entré **en chantant**. He came in singing.
  En *les* **voyant**, *j'ai vite compris.* On seeing them, I quickly understood.
  J'ai maigri **en nageant** *régulièrement.* I slimmed by swimming regularly.
  – with *tout en* (simultaneity/contradiction):
  Je travaille **(tout) en mangeant**. I work while eating.
  J'ai accepté **(tout) en protestant**. I accepted under protest.

- on their own:

> **Pensant** *réussir, je n'ai pas révisé.*   Thinking I was going to pass, I didn't revise.

- Careful – English verb forms in **-ing** do not always translate as present participles:

> I am working. *Je travaille/Je suis en train de travailler.* (present tense)
> He was sleeping. *Il dormait.* (imperfect tense)

- Present participles are invariable, except when used as adjectives:

> *Elle peint des portraits fascinants.*   She paints fascinating portraits.

18 Le participe passé *Past participles* ◀ p51

Past participles are the verb form which, in English, is used after 'have': 'I have said'. They are also used in the passive after the verb 'to be'. In French, they are used in compound tenses (perfect, pluperfect) after *avoir* or *être*.

18a Formation *Formation*

-er	**-ir**	**-re**
arriv(er) ➡ **é:** *arrivé*	*fin(ir)* ➡ **i:** *fini*	*vend(re)* ➡ **u:** *vendu*

- Most common irregular past participles (classified to facilitate learning):
  - ending in **-u** or **-û**:

bu (boire)	*eu (avoir)*	*su (savoir)*
connu (connaître)	*lu (lire)*	*tenu (tenir)*
couru (courir)	*paru (paraître)*	*vécu (vivre)*
cru (croire)	*plu (plaire/pleuvoir)*	*venu (venir)*
devenu (devenir)	*pu (pouvoir)*	*voulu (vouloir)*
dû (devoir)	*reçu (recevoir)*	*vu (voir)*

  - ending in **-i**, **-is**, or **-it**:

ri (rire)	*mis (mettre)*	*conduit (conduire)*
suivi (suivre)	*pris (prendre)*	*écrit (écrire)*

  - other:

été (être)	*mort (mourir)*	*ouvert (ouvrir)*
fait (faire)	*né (naître)*	*peint (peindre)*

- Verbs constructed from other verbs (e.g. from *prendre*) follow the same pattern:

> *pris (prendre) -> appris (apprendre), compris (comprendre), repris (reprendre)*

18b Usage *Using past participles*

- Past participles are a verb form equivalent to 'given/seen/answered', etc., as in:

> I have **given**
> You have **seen**
> He has **answered** (not as in I answered)

- They are used in compound tenses (tenses that use the auxiliary *avoir* or *être*), for example in the perfect and pluperfect (see **19** & **22**):

> *J'ai **attendu** mais il avait **oublié**.*   I waited but he had forgotten.

- They are also used in the passive (see **28**), as in English:

> *Les élections ont été **fixées** pour le 17 juin.*   The election date has been set for the 17th June.

- Some past participles can be used as adjectives:

> *Elles sont **fatiguées**.*   They are tired.
> *Nous sommes **enchantés**.*   We are delighted.

- Past participles are invariable except:
  - with verbs that use *être*: *Nous sommes allés/allées . . .*
  - in the passive (see **28**): *Les élections ont éte fixées . . .*
  - when used as adjectives: *Elles sont fatiguées. Nous sommes enchantés.*
  - in compound tenses with *avoir*, when referring to an object placed *before* the verb:

> – *Tu as vu **les cartes** que j'ai achetées?* (◀━━ *J'ai acheté les cartes*)
>   object   past participle
> – *Oui, je **les** ai bien regardées.* (◀━━ *J'ai bien regardé les cartes*)
>   object   past participle

19 | **Le passé composé** *The perfect tense* ◀ p50

19a Conjugaison *Formation*

- Most verbs: present tense of *avoir* + invariable past participle (see **18**):
  - *j'ai parlé/fini/vendu*
  - *tu as parlé/fini/vendu*
  - *il a parlé/fini/vendu*
  - *elle a parlé/fini/vendu*
  - *on a parlé/fini/vendu*
  - *nous avons parlé/fini/vendu*
  - *vous avez parlé/fini/vendu*
  - *ils ont parlé/fini/vendu*
  - *elles ont parlé/fini/vendu*

- *Être* verbs and reflexive verbs (see **10b**): present tense of *être* + past participle – with agreement:

je suis venu(e)	*je me suis levé(e)*
tu es venu(e)	*tu t'es levé(e)*
il est venu	*il s'est levé*
elle est venue	*elle s'est levée*
on est venu(s)	*on s'est levé(s)*
nous sommes venus/ues	*nous nous sommes levés/ées*
vous êtes venu/e/s/es	*vous vous êtes levé/e/s/es*
ils sont venus	*ils se sont levés*
elles sont venues	*elles se sont levées*

- Most common irregular past participles: see **18**.

- Most common reflexive verbs: see **10b**.

- Most common *être* verbs (often called 'verbs of motion'):

aller to go	*arriver* to arrive	*entrer* to go in
venir to come	*partir* to leave	*sortir* to go out
*monter** to go up/get into	*naître* to be born	*rentrer** to go home
*descendre** to go down/get off	*mourir* to die	*revenir* to come back
devenir to become	*tomber* to fall	*retourner** to go back
rester to stay/remain	*passer** to go past/drop in	

- All *être* verbs are intransitive (see p139):
  - *Ils sont passés à 3h.* They dropped in at 3.00.
  - *Vous êtes rentrés tard?* Did you come back late?

- The verbs marked * can also be used transitively (see p139), in which case they take *avoir*:
  - *Ils m'ont passé leurs notes.* They've passed me their notes.
  - *Vous avez rentré la poubelle?* Did you bring the bin in?

19b Usage *Using the perfect tense*

- The perfect tense is used to describe completed actions in the past. It can translate several English structures:
  - *J'ai acheté leurs CD.*
  - I *bought* their CDs. I *have bought* their CDs. I *have been buying* their CDs. I *did buy* their CDs.

19c L'infinitif parfait *The perfect infinitive*

- Formation:
  - *avoir* + past participle:
  - *avoir mangé*
  - or *être* + past participle: *être parti(e)(s); s'être couché(e)(s)*

- Use:
  - *Il est parti **après avoir mangé**.* He left after eating. (◀▦▦▶ . . . after he had eaten.)
  - *J'ai entendu un bruit **après m'être couchée**.* I heard a noise after going to bed.

20 | **L'imparfait** *The imperfect tense* ◀ p24

20a Conjugaison *Formation*

- Use the *nous* stem of the present tense +: *-ais, -ais, -ait, -ions, -iez, -aient*.
  - *parler* (**parl**ons) ▦▶ *je **parlais** . . .*
  - *finir* (**finiss**ons) ▦▶ *je **finissais** . . .*
  - *vendre* (**vend**ons) ▦▶ *je **vendais** . . .*

  Watch out – in the present tense, the *nous* stem may be different from the infinitive:
  - *boire* (**buv**ons) ▦▶ *je **buvais** . . .*
  - *manger* (**mange**ons) ▦▶ *je **mangeais** . . .*

- Only exception to above rule: *être* ▦▶ ***j'étais** . . .*

20b Usage *Using the imperfect*

- The imperfect is used mainly:
  - to describe what something/someone was or used to be like:
    - *Il **pleuvait**.* It was raining.
    - *Il **portait** des lunettes.* He wore/He used to wear glasses.
    - *C'**était** génial!* It was great!
  - to describe actions in the past that were still going on at the time:
    - *Elle **travaillait** à temps partiel.* She was working part-time.
  - to describe actions that used to happen frequently in the past:
    - *Elle **trichait** en maths.* She used to cheat in maths.
  - to describe past actions that were interrupted:
    - *Elle **trichait** quand j'ai levé les yeux.* She was cheating when I looked up.
  - after *si* in sentences that use the present conditional:
    - *Si je **jouais**, je **perdrais** probablement.* If I played I would probably lose.
- Also:
  - when making suggestions:
    - *Si on **sortait** ce soir?* How about going out tonight?
  - with *venir de* + infinitive ('. . . had just . . .'):
    - *Nous **venions** d'arriver.* We had just arrived.
  - with *depuis* ('. . . had been . . .'):
    - *Elle attendait **depuis** 7h.* She'd been waiting since 7.00.
  - with *être en train de* + infinitive, to emphasize continuity:
    - *J'**étais en train de** prendre une douche quand tu as appelé.*
      I was (in the middle of) having a shower when you called.

21 Le passé composé ou l'imparfait? *Perfect or imperfect?*

When translating 'had' or 'was/were', choose your tense carefully:

- Description in the past ➠ **imperfect**:
  - He was often ill. *Il était souvent malade.*
  - In those days she had cats. *Elle avait des chats à cette époque-là.*

- Completion in the past ➠ **perfect**:
  - He was ill for five years. *Il a été malade pendant cinq ans.*
  - She had cats until she moved. *Elle a eu des chats jusqu'à son départ.*

- Completion at a specific time ➠ **perfect**:
  - He was surprised to see me. *Il a été surpris de me voir.*
  - She had a shock on seeing him. *Elle a eu un choc en le voyant.*

22 Le plus-que-parfait *The pluperfect* ◀◀ p87

22a Conjugaison *Formation*

Imperfect of *avoir* or *être* + past participle:

j'avais parlé	*j'étais venu(e)*	*je m'étais levé(e)*
tu avais parlé . . .	*tu étais venu(e) . . .*	*tu t'étais levé(e) . . .*

- The pluperfect is modelled on the perfect tense:
  - *être* verbs agree but *avoir* verbs don't (list of *être* verbs: see **19a**)
  - reflexive verbs (see **10b**) take *être*.

22b Usage *Using the pluperfect*

- The pluperfect translates the idea of 'had done':
  - *J'ai appelé mais il **était sorti**.* I called but he had gone out.

- It is also used in reported speech:
  - *Ils ont dit qu'ils n'**avaient** rien **vu**.* They said (that) they hadn't seen anything.

23 | **«Si» + quel temps?** *Use of tenses with si*

- Common patterns:
  - If I pass I'll go to university. *Si je **réussis**, **j'irai** à l'université.* (si + present + future)
  - If I passed I'd go to university. *Si je **réussissais**, **j'irais** à l'université.* (si + imperfect + conditional)
  - If I had passed I would have gone to university. *Si j'**avais réussi**, je **serais allé(e)** à l'université.*
    (si + pluperfect + past conditional)
- Also – si + perfect + present/future:
  - If/Since you've passed, why are you worrying? *Si tu as réussi, pourquoi est-ce que tu t'inquiètes?*
  - If/Since you've passed, you'll be able to rest now. *Si tu as réussi, tu vas pouvoir te reposer maintenant.*

24 | **«Depuis» + quel temps?** *Use of tenses with depuis*

- **Perfect tense in English – present in French:**
  - I've been working since 9.00.
    *Je **travaille** depuis 9h.*
  - I've been working for nine hours.
    *Je **travaille** depuis neuf heures.*
    *(Ça fait/Il y a neuf heures que je **travaille**.)*
  - I've been working since you left.
    *Je **travaille** depuis que tu es parti.*

- **Pluperfect in English – imperfect in French:**
  - I'd been working since 9.00.
    *Je **travaillais** depuis 9h.*
  - I'd been working for nine hours.
    *Je **travaillais** depuis neuf heures.*
    (Ça faisait/Il y avait neuf heures que je travaillais.)
  - I'd been working since you'd left.
    *Je **travaillais** depuis que tu étais parti.*

- Negative sentences – perfect tense in French and in English:
  I haven't been working for three days. *Je **n'ai pas travaillé** depuis trois jours.*
- The difference between *depuis* and *pendant*?
  Je travaille depuis *neuf heures.* I've been working for nine hours. (◀▬▬▶ I am still working)
  J'ai travaillé pendant *cinq heures.* I worked for nine hours. (◀▬▬▶ I have now stopped working)

25 | **Le passé simple** *The past historic*

25a Conjugaison *Formation*

- Stem of the infinitive (infinitive minus **-er/-ir/-re**) +:
  - endings for **-er** verbs: *-ai, -as, -as, âmes, âtes, èrent*
  - endings for **-ir/-re** verbs: *-is, -is, -it, -îmes, -îtes, -irent*
    je parlai, tu parlas, il parla, nous parlâmes, vous parlâtes, ils parlèrent
    je finis, tu finis, il finit, nous finîmes, vous finîtes, ils finirent
- Many common verbs are irregular: see verbs tables pp166–73. Some of those have endings containing the letter **-u-**:
  avoir: j'eus, tu eus, il/elle/on eut, nous eûmes, vous eûtes, ils/elles eurent
  être: je fus, tu fus, il/elle/on fut, nous fûmes, vous fûtes, ils/elles furent

25b Usage *Using the past historic*

- Just like the perfect tense, the past historic is used to describe actions/events completed in the past: what someone did or what happened. It is used only (but not always) in literature. Otherwise, (in speech, newspapers, informal writing) the perfect tense is used:
  Il décida de lui cacher la vérité. He decided to hide the truth from her.
- Unless you write literary narratives, you will not need to use this tense, but you do need to be able to recognize it in reading.

26 | **Le passé antérieur** *The past anterior*

- Formation: *avoir* or *être* in the past historic + past participle.
- This is a tense used mainly in literature, with expressions of time like *dès que/aussitôt que*, in sentences where the main verb is in the past historic (see **25**):
  Dès qu'elle fut entrée, elle débrancha le téléphone. As soon as she had come in, she unplugged the telephone.
  Aussitôt qu'il m'eut vu, il se mit à courir. The minute he saw me, he started to run.
- Nowadays alternative structures are used more and more:
  Dès son entrée, . . .   *Aussitôt après m'avoir vu, . . .*
- You only need to be able to recognize this tense in reading.

27 **L'impératif** *The imperative* ◀ p39

27a Usage et conjugaison *Use and formation*

- The imperative is used to give instructions and commands and to make suggestions.
- Formation: present tense (2nd person singular; 1st and 2nd persons plural):
  Attends! Wait! *Attendons!* Let's wait! *Attendez!* Wait!
- The *tu* form of **-er** verbs loses its **-s** except before *en* or *y*:
  Mange vite. Eat quickly. *Manges-en.* Eat some.
- Pronouns go after the verb (hyphenated) except in negative sentences:
  Levez-vous! Get up! *Prenez-les.* Take them. *Ne parlez pas!* Don't speak!
  Moi/toi are used instead of *me/te:*
  Tu m'écoutes? Ecoute-moi!
- Word order in negative sentences:
  Répondons. ⟹ *Ne répondons pas.*
  Répondez-lui! ⟹ *Ne lui répondez pas!*
- Most verbs are regular. Common exceptions:
  avoir ⟹ *aie, ayons, ayez* *N'ayez pas peur!* Don't be afraid!
  être ⟹ *sois, soyons, soyez* *Soyez sages!* Be good!
  savoir ⟹ *sache, sachons, sachez* *Sachez que . . .* I'll have you know that . . .
  vouloir ⟹ *veuillez* *Veuillez accepter . . .* Please accept . . .
- French sometimes uses the infinitive instead of the imperative:
  recipes: *Ajouter deux jaunes d'œuf.* Add two egg yokes.
  signs: *Ne pas déranger.* Do not disturb.
  directions for use: *Prendre un comprimé par jour.* Take one tablet a day.

27b Expressions utiles *Useful phrases*

- *Tenir:*
  Tiens, il neige! Oh, it's snowing!
  Tiens/Tenez, voilà 20F. Here you are, 20F.
  Tiens! Il a refusé? He refused? Really?
- *Venir:*
  Voyons, ce n'est rien! Come on, it's nothing!
  Voyons . . . lundi? Oui, d'accord! Let's see . . . Monday? Yes, all right!

28 **Le passif** *The passive* ◀ p81

A A dog attacked two children. *Un chien a attaqué deux enfants.*
B Two children were attacked by a dog. *Deux enfants ont été attaqués par un chien.*
Sentence A – the subject – 'a dog' – is active (performing the attack).
Sentence B – the subject – 'two children' – is passive (undergoing the attack).
There are several ways of expressing the English passive in French.

28a Les verbes au passif *Passive verb forms*

- Formation: *être* in the appropriate tense + past participle always agreeing with the subject. This passive structure – often used in newspaper, radio and TV accounts – can give a more dramatic feel to events:
  Two children were attacked by . . . (perfect) *Deux enfants **ont été attaqués** par . . .*
  The children will be interviewed by . . . (future) *Les enfants **seront interrogés par** . . .*
  They are going to be interviewed . . . (immediate future) *Ils **vont être interrogés** par . . .*
  The dog had already been seen by . . . (pluperfect) *Le chien **avait** déjà **été vu** par . . .*
  The dog has not yet been caught. (negative) *Le chien n'**a** pas encore **été attrapé**.*

28b «On» + verbe actif *On + active verb*

Although English uses the passive, an *On . . .* structure can be used when the person doing the action isn't important or isn't known:
  The children were taken to hospital.
  ***On a conduit** les enfants à l'hôpital.* (= *Les enfants ont été conduits à l'hôpital.*)

28c Verbes pronominaux *Reflexive verbs*

The English passive can sometimes be translated by making active verbs (*manger*, etc.) reflexive:
Cheese is eaten before dessert. *Le fromage **se mange** avant le dessert.*
It isn't done. *Ça ne **se fait** pas.*

29 Le subjonctif *The subjunctive* ◀ pp62, 63, 68–9, 75, 95, 111

- The subjunctive is the name given to verb forms used after some verbs/phrases + *que* that convey possibilities, opinions, wishes and doubts. It is pointless to try and compare it to anything in English, where it is a rare occurence (. . . the verb in 'God save the King/Queen' is an English subjunctive expressing a wish: 'May God save . . .').

- The subjunctive consists of four tenses which have the same names as some of the 'indicative' tenses you know: the present, the imperfect, the perfect and the pluperfect.

- The imperfect and pluperfect subjunctive – never used in speech and hardly at all in literature – are not worth worrying about here. If you come across either, the context will help you understand them.

- The present subjunctive is used all the time. The perfect subjunctive is used to a lesser extent. Although **Objectif Bac 1** only introduces the present, the perfect is presented here for reference. You will also find more uses explained here than are introduced through **Objectif Bac 1**.

29a Conjugaison *Formation of the present subjunctive*

- Stem of the *ils* form of the present indicative + endings: -*e*, -*es*, -*e*, -*ions*, -*iez*, -*ent*
  Je parle, tu parles, il/elle/on parle, nous parlions, vous parliez, ils/elles parlent
  Je finisse, tu finisses, il finisse, nous finissions, vous finissiez, ils finissent
  Je vende, tu vendes, il vende, nous vendions, vous vendiez, ils vendent
  Watch out – in the present tense, the *ils* stem may be different from the infinitive:
  prendre ⟿ (*prennent*) ⟿ *je prenne* . . .
  boire ⟿ (*boivent*) ⟿ *je boive* . . .

- Learn these common irregular verbs – see pp166–73:
  aller, avoir, écrire, être, faire, pouvoir, prendre, recevoir, savoir, venir, voir, vouloir

29b Usage *Using the subjunctive present*

- After verbs/phrases expressing wishes or emotions:
  The letters (**a**)-(**i**) refer to the examples given in **29c**.

  aimer que to like
  préférer que to prefer **(a)**
  être content, etc. que to be pleased, etc. that
  être étonné/surpris que to be surprised that
  avoir peur que to be afraid that
  regretter que to regret that

  défendre que to forbid*
  empêcher que to prevent*
  interdire que to forbid*

  désirer/souhaiter que to wish
  permettre que to allow*
  vouloir que to want **(b)**
  exiger que to demand
  ordonner que to order*
  il faut que it is necessary that
  ne pas croire que not to believe that **(c)**

  *alternative construction exists (see **13d**)

- After certain conjunctions (concession, time, purpose, condition, fear, etc.):
  bien que although
  quoique although

  avant que before **(d)**
  après que after
  en attendant que until
  jusqu'à ce que until

afin que so that
pour que so that

à condition que on condition that
à moins que + ne unless **(e)**
pourvu que provided that
Que . . . Whether . . .
Que . . . May . . . **(f)**

de peur que + ne for fear that
de crainte que + ne for fear that

non que not that
sans que without **(g)**

- After verbs/phrases expressing possibility:
  douter que to doubt that
  il arrive que it happens that
  il se peut que it may be that
  il est (im)possible que it is (im)possible that
  *il semble que** it seems that
  * but no subjunctive after *Il me/te . . . semble que* (It seems to me/you that . . .)

- Other:
  il est dommage que it is a shame that
  il est important que it is important that
  il est préférable que it is preferable that
  il est temps que it is time that
  il vaut mieux que it is better that

  que/qui that/who **(h)**
  qui que whoever
  quel que whichever **(i)**
  quoi que whatever

29c Exemples *Examples*

These examples illustrate some of uses of the present subjunctive presented above.
Compare the word order in French and in English.

a *Je préfère que tu travailles seul.* I prefer you to work alone.
b *Elle veut que je parte plus tôt.* She wants me to leave earlier.
c *Je crois qu'il est 11h mais je ne crois pas qu'il soit là.* I think it's 11.00 but I don't think he's here.
d *Rentre avant qu'il (ne) fasse nuit.* Come home before it gets dark.
e *Téléphone, à moins qu'il (ne) soit trop tard.* Phone, unless it's too late.
f *Qu'il aille au diable!* He can go to hell!
g *Elle travaille sans qu'il le sache.* She works without his knowing it.
h *Y a-t-il quelqu'un qui sache parler russe?* Is there someone who can speak Russian?
i *Je refuse, quelles que soient ses raisons.* I refuse, whatever his/her reasons may be.

- Note: *ne* is used essentially in formal writing with *avant que, à moins que, de peur que* and *de crainte que* (see examples **d** and **e** above). It is a stylistic device that doesn't make that part of the sentence negative.

29d Le subjonctif ou l'infinitif? *Subjunctive or infinitive?*

- Except in **f** – a rare structure – all the above sentences contain two verbs, each with a different subject:
  She wants **me** to leave earlier. (She ◀▬▬▶ wants, me ◀▬▬▶ leave)
  *Elle veut **que je parte** plus tôt.*

- When, in this kind of sentence, the two verbs share the same subject, there is no need for *que* + subjunctive. The infinitive is used instead:
  She wants to leave earlier. (She ◀▬▬▶ wants, (herself) ◀▬▬▶ leave)
  *Elle veut **partir** plus tôt.*

- You can sometimes use a noun instead of a subjunctive:
  Appelle-moi avant qu'il arrive. = *Appelle-moi avant son arrivée.*

29e Le subjonctif parfait *The perfect subjunctive*

● **Formation**: present subjunctive of *avoir/être* + past participle.
  It is used because of the sequence of tenses:
    *Je **doute** qu'il **ait téléphoné**.* I doubt he's phoned.
       present   past

30 Les verbes impersonnels *Impersonal verbs* ◀ **p124**

Impersonal verbs are invariable and only used with *il*:

● *Il pleut/Il fait chaud*, etc. It's raining/It's hot, etc.
  Il y a . . . There is/are . . .
  Il est 5h. It's 5.00.
  Il est facile/utile, etc. *de . . .* It's easy/useful, etc. to . . .
  Il m'est facile de . . . It's easy for me to . . .

● *Il s'agit de* it's about   *il arrive/se passe* it happens   *il existe* there is/are   *il faut* it's necessary to
  il manque . . . is missing   *il paraît/semble* it seems   *il reste* there remain   *il suffit . . .* is enough
  il vaut mieux   it's better/preferable:

    *Il en **existe** seulement trois exemplaires mais **il paraît qu'il arrive** d'en trouver des copies.*
    Only three copies exist but, apparently, reproductions are sometimes found.

    *Il **se passe** des choses très bizarres ici.*
    Strange things happen here.

    *Il **restait** deux tableaux mais **il** en **manque** un.*
    There were two paintings left but one is missing.

    *Il **faut** un référendum car **il s'agit de** prendre une décision.*
    A referendum is needed because a decision has to be made.

    *Il **vaut mieux** apprendre la grammaire car **il** ne **suffit** pas de la comprendre.*
    It's better to learn grammar because understanding it is not enough.

● Notice the difference:
  – adjective + *de* + infinitive:
    Il est facile d'apprendre le russe! (formal)
    C'est facile d'apprendre le russe! (informal)
  – no verb construction after adjective:
    *Apprendre le russe? **C'**est facile!* (never: *Il est*)

Tableaux des conjugaisons

For verbs not included here, consult the back of your dictionary.

arriver *to arrive*

Infinitive	Present	Future	Imperfect	Past/Present participle	Present subjunctive
j'	arrive	arriverai	arrivais	arrivé(e)(s)	arrive
tu	arrives	arriveras	arrivais	(⟾ être)	arrives
il/elle/on	arrive	arrivera	arrivait		arrive
nous	arrivons	arriverons	arrivions	arrivant	arrivions
vous	arrivez	arriverez	arriviez		arriviez
ils/elles	arrivent	arriveront	arrivaient		arrivent

finir *to finish*

Infinitive	Present	Future	Imperfect	Past/Present participle	Present subjunctive
je	finis	finirai	finissais	fini	finisse
tu	finis	finiras	finissais	(⟾ avoir)	finisses
il/elle/on	finit	finira	finissait		finisse
nous	finissons	finirons	finissions	finissant	finissions
vous	finissez	finirez	finissiez		finissiez
ils/elles	finissent	finiront	finissaient		finissent

vendre *to sell*

Infinitive	Present	Future	Imperfect	Past/Present participle	Present subjunctive
je	vends	vendrai	vendais	vendu	vende
tu	vends	vendras	vendais	(⟾ avoir)	vendes
il/elle/on	vend	vendra	vendait		vende
nous	vendons	vendrons	vendions	vendant	vendions
vous	vendez	vendrez	vendiez		vendiez
ils/elles	vendent	vendront	vendaient		vendent

acheter *to buy*

Infinitive	Present	Future	Imperfect	Past/Present participle	Present subjunctive
j'	achète	achèterai	achetais	acheté	achète
tu	achètes	achèteras	achetais	(⟾ avoir)	achètes
il/elle/on	achète	achètera	achetait		achète
nous	achetons	achèterons	achetions	achetant	achetions
vous	achetez	achèterez	achetiez		achetiez
ils/elles	achètent	achèteront	achetaient		achètent

aller *to go*

Infinitive	Present	Future	Imperfect	Past/Present participle	Present subjunctive
je/j'	vais	irai	allais	allé(e)(s)	aille
tu	vas	iras	allais	(⟾ être)	ailles
il/elle/on	va	ira	allait		aille
nous	allons	irons	allions	allant	allions
vous	allez	irez	alliez		alliez
ils/elles	vont	iront	allaient		aillent

avoir *to have*

Infinitive	Present	Future	Imperfect	Past/Present participle	Present subjunctive
j'	ai	aurai	avais	eu	aie
tu	as	auras	avais	(⟾ avoir)	aies
il/elle/on	a	aura	avait		ait
nous	avons	aurons	avions	ayant	ayons
vous	avez	aurez	aviez		ayez
ils/elles	ont	auront	avaient		aient

boire *to drink*

Infinitive	Present	Future	Imperfect	Past/Present participle	Present subjunctive
je	bois	boirai	buvais	bu	boive
tu	bois	boiras	buvais	(⟾ avoir)	boives
il/elle/on	boit	boira	buvait		boive
nous	buvons	boirons	buvions	buvant	buvions
vous	buvez	boirez	buviez		buviez
ils/elles	boivent	boiront	buvaient		boivent

conduire *to drive*

Infinitive	Present	Future	Imperfect	Past/Present participle	Present subjunctive
je	conduis	conduirai	conduisais	conduit	conduise
tu	conduis	conduiras	conduisais	(⟾ avoir)	conduises
il/elle/on	conduit	conduira	conduisait		conduise
nous	conduisons	conduirons	conduisions	conduisant	conduisions
vous	conduisez	conduirez	conduisiez		conduisiez
ils/elles	conduisent	conduiront	conduisaient		conduisent

connaître *to know*

Infinitive	Present	Future	Imperfect	Past/Present participle	Present subjunctive
je	connais	connaîtrai	connaissais	connu	connaisse
tu	connais	connaîtras	connaissais	(⟾ avoir)	connaisses
il/elle/on	connaît	connaîtra	connaissait		connaisse
nous	connaissons	connaîtrons	connaissions	connaissant	connaissions
vous	connaissez	connaîtrez	connaissiez		connaissiez
ils/elles	connaissent	connaîtront	connaissaient		connaissent

courir *to run*

Infinitive	Present	Future	Imperfect	Past/Present participle	Present subjunctive
je	cours	courrai	courais	couru	coure
tu	cours	courras	courais	(➡ avoir)	coures
il/elle/on	court	courra	courait		coure
nous	courons	courrons	courions	courant	courions
vous	courez	courrez	couriez		couriez
ils/elles	courent	courront	couraient		courent

croire *to believe*

Infinitive	Present	Future	Imperfect	Past/Present participle	Present subjunctive
je	crois	croirai	croyais	cru	croie
tu	crois	croiras	croyais	(➡ avoir)	croies
il/elle/on	croit	croira	croyait		croie
nous	croyons	croirons	croyions	croyant	croyions
vous	croyez	croirez	croyiez		croyiez
ils/elles	croient	croiront	croyaient		croient

devoir *must/to have to*

Infinitive	Present	Future	Imperfect	Past/Present participle	Present subjunctive
je	dois	devrai	devais	dû	doive
tu	dois	devras	devais	(➡ avoir)	doives
il/elle/on	doit	devra	devait		doive
nous	devons	devrons	devions	devant	devions
vous	devez	devrez	deviez		deviez
ils/elles	doivent	devront	devaient		doivent

dire *to say*

Infinitive	Present	Future	Imperfect	Past/Present participle	Present subjunctive
je	dis	dirai	disais	dit	dise
tu	dis	diras	disais	(➡ avoir)	dises
il/elle/on	dit	dira	disait		dise
nous	disons	dirons	disions	disant	disions
vous	dites	direz	disiez		disiez
ils/elles	disent	diront	disaient		disent

dormir *to sleep*

Infinitive	Present	Future	Imperfect	Past/Present participle	Present subjunctive
je	dors	dormirai	dormais	dormi	dorme
tu	dors	dormiras	dormais	(➡ avoir)	dormes
il/elle/on	dort	dormira	dormait		dorme
nous	dormons	dormirons	dormions	dormant	dormions
vous	dormez	dormirez	dormiez		dormiez
ils/elles	dorment	dormiront	dormaient		dorment

écrire *to write*

Infinitive	Present	Future	Imperfect	Past/Present participle	Present subjunctive
j'	écris	écrirai	écrivais	écrit	écrive
tu	écris	écriras	écrivais	(➠ avoir)	écrives
il/elle/on	écrit	écrira	écrivait		écrive
nous	écrivons	écrirons	écrivions	écrivant	écrivions
vous	écrivez	écrirez	écriviez		écriviez
ils/elles	écrivent	écriront	écrivaient		écrivent

envoyer *to send*

Infinitive	Present	Future	Imperfect	Past/Present participle	Present subjunctive
j'	envoie	enverrai	envoyais	envoyé	envoie
tu	envoies	enverras	envoyais	(➠ avoir)	envoies
il/elle/on	envoie	enverra	envoyait		envoie
nous	envoyons	enverrons	envoyions	envoyant	envoyions
vous	envoyez	enverrez	envoyiez		envoyiez
ils/elles	envoient	enverront	envoyaient		envoient

être *to be*

Infinitive	Present	Future	Imperfect	Past/Present participle	Present subjunctive
je/j'	suis	serai	étais	été	sois
tu	es	seras	étais	(➠ avoir)	sois
il/elle/on	est	sera	était		soit
nous	sommes	serons	étions	étant	soyons
vous	êtes	serez	étiez		soyez
ils/elles	sont	seront	étaient		soient

faire *to do/to make*

Infinitive	Present	Future	Imperfect	Past/Present participle	Present subjunctive
je	fais	ferai	faisais	fait	fasse
tu	fais	feras	faisais	(➠ avoir)	fasses
il/elle/on	fait	fera	faisait		fasse
nous	faisons	ferons	faisions	faisant	fassions
vous	faites	ferez	faisiez		fassiez
ils/elles	font	feront	faisaient		fassent

falloir *to be necessary*

Infinitive	Present	Future	Imperfect	Past/Present participle	Present subjunctive
il	faut	faudra	fallait	fallu (➠ avoir)	faille

jeter *to throw*

Infinitive	Present	Future	Imperfect	Past/Present participle	Present subjunctive
je	jette	jetterai	jetais	jeté	jette
tu	jettes	jetteras	jetais	(➠ avoir)	jettes
il/elle/on	jette	jettera	jetait		jette
nous	jetons	jetterons	jetions	jetant	jetions
vous	jetez	jetterez	jetiez		jetiez
ils/elles	jettent	jetteront	jetaient		jettent

lire *to read*

Infinitive	Present	Future	Imperfect	Past/Present participle	Present subjunctive
je	lis	lirai	lisais	lu	lise
tu	lis	liras	lisais	(➠ avoir)	lises
il/elle/on	lit	lira	lisait		lise
nous	lisons	lirons	lisions	lisant	lisions
vous	lisez	lirez	lisiez		lisiez
ils/elles	lisent	liront	lisaient		lisent

mettre *to put*

Infinitive	Present	Future	Imperfect	Past/Present participle	Present subjunctive
je	mets	mettrai	mettais	mis	mette
tu	mets	mettras	mettais	(➠ avoir)	mettes
il/elle/on	met	mettra	mettait		mette
nous	mettons	mettrons	mettions	mettant	mettions
vous	mettez	mettrez	mettiez		mettiez
ils/elles	mettent	mettront	mettaient		mettent

mourir *to die*

Infinitive	Present	Future	Imperfect	Past/Present participle	Present subjunctive
je	meurs	mourrai	mourais	mort(e)(s)	meure
tu	meurs	mourras	mourais	(➠ être)	meures
il/elle/on	meurt	mourra	mourait		meure
nous	mourons	mourrons	mourions	mourant	mourions
vous	mourez	mourrez	mouriez		mouriez
ils/elles	meurent	mourront	mouraient		meurent

naître *to be born*

Infinitive	Present	Future	Imperfect	Past/Present participle	Present subjunctive
je	nais	naîtrai	naissais	né(e)(s)	naisse
tu	nais	naîtras	naissais	(➠ être)	naisses
il/elle/on	naît	naîtra	naissait		naisse
nous	naissons	naîtrons	naissions	naissant	naissions
vous	naissez	naîtrez	naissiez		naissiez
ils/elles	naissent	naîtront	naissaient		naissent

ouvrir *to open*

Infinitive	Present	Future	Imperfect	Past/Present participle	Present subjunctive
j'	ouvre	ouvrirai	ouvrais	ouvert	ouvre
tu	ouvres	ouvriras	ouvrais	(➠ avoir)	ouvres
il/elle/on	ouvre	ouvrira	ouvrait		ouvre
nous	ouvrons	ouvrirons	ouvrions	ouvrant	ouvrions
vous	ouvrez	ouvrirez	ouvriez		ouvriez
ils/elles	ouvrent	ouvriront	ouvraient		ouvrent

partir *to leave*

Infinitive	Present	Future	Imperfect	Past/Present participle	Present subjunctive
je	pars	partirai	partais	parti(e)(s)	parte
tu	pars	partiras	partais	(⟹ être)	partes
il/elle/on	part	partira	partait		parte
nous	partons	partirons	partions	partant	partions
vous	partez	partirez	partiez		partiez
ils/elles	partent	partiront	partaient		partent

payer *to pay*

Infinitive	Present	Future	Imperfect	Past/Present participle	Present subjunctive
je	paie	paierai	payais	payé	paie
tu	paies	paieras	payais	(⟹ avoir)	paies
il/elle/on	paie	paiera	payait		paie
nous	payons	paierons	payions	payant	payions
vous	payez	paierez	payiez		payiez
ils/elles	paient	paieront	payaient		paient

pleuvoir *to rain*

Infinitive	Present	Future	Imperfect	Past/Present participle	Present subjunctive
il	pleut	pleuvra	pleuvait	plu (⟹ avoir) pleuvant	pleuve

pouvoir *can/to be able to*

Infinitive	Present	Future	Imperfect	Past/Present participle	Present subjunctive
je	peux	pourrai	pouvais	pu	puisse
tu	peux	pourras	pouvais	(⟹ avoir)	puisses
il/elle/on	peut	pourra	pouvait		puisse
nous	pouvons	pourrons	pouvions	pouvant	puissions
vous	pouvez	pourrez	pouviez		puissiez
ils/elles	peuvent	pourront	pouvaient		puissent

préférer *to prefer*

Infinitive	Present	Future	Imperfect	Past/Present participle	Present subjunctive
je	préfère	préférerai	préférais	préféré	préfère
tu	préfères	préféreras	préférais	(⟹ avoir)	préfères
il/elle/on	préfère	préférera	préférait		préfère
nous	préférons	préférerons	préférions	préférant	préférions
vous	préférez	préférerez	préfériez		préfériez
ils/elles	préfèrent	préféreront	préféraient		préfèrent

prendre *to take*

Infinitive	Present	Future	Imperfect	Past/Present participle	Present subjunctive
je	prends	prendrai	prenais	pris	prenne
tu	prends	prendras	prenais	(➡ avoir)	prennes
il/elle/on	prend	prendra	prenait		prenne
nous	prenons	prendrons	prenions	prenant	prenions
vous	prenez	prendrez	preniez		preniez
ils/elles	prennent	prendront	prenaient		prennent

recevoir *to receive*

Infinitive	Present	Future	Imperfect	Past/Present participle	Present subjunctive
je	reçois	recevrai	recevais	reçu	reçoive
tu	reçois	recevras	recevais	(➡ avoir)	reçoives
il/elle/on	reçoit	recevra	recevait		reçoive
nous	recevons	recevrons	recevions	recevant	recevions
vous	recevez	recevrez	receviez		receviez
ils/elles	reçoivent	recevront	recevaient		reçoivent

rire *to laugh*

Infinitive	Present	Future	Imperfect	Past/Present participle	Present subjunctive
je	ris	rirai	riais	ri	rie
tu	ris	riras	riais	(➡ avoir)	ries
il/elle/on	rit	rira	riait		rie
nous	rions	rirons	riions	riant	riions
vous	riez	rirez	riiez		riiez
ils/elles	rient	riront	riaient		rient

savoir *to know*

Infinitive	Present	Future	Imperfect	Past/Present participle	Present subjunctive
je	sais	saurai	savais	su	sache
tu	sais	sauras	savais	(➡ avoir)	saches
il/elle/on	sait	saura	savait		sache
nous	savons	saurons	savions	sachant	sachions
vous	savez	saurez	saviez		sachiez
ils/elles	savent	sauront	savaient		sachent

suivre *to follow*

Infinitive	Present	Future	Imperfect	Past/Present participle	Present subjunctive
je	suis	suivrai	suivais	suivi	suive
tu	suis	suivras	suivais	(➡ avoir)	suives
il/elle/on	suit	suivra	suivait		suive
nous	suivons	suivrons	suivions	suivant	suivions
vous	suivez	suivrez	suiviez		suiviez
ils/elles	suivent	suivront	suivaient		suivent

tenir *to hold*

Infinitive	Present	Future	Imperfect	Past/Present participle	Present subjunctive
je	tiens	tiendrai	tenais	tenu	tienne
tu	tiens	tiendras	tenais	(➠ avoir)	tiennes
il/elle/on	tient	tiendra	tenait		tienne
nous	tenons	tiendrons	tenions	tenant	tenions
vous	tenez	tiendrez	teniez		teniez
ils/elles	tiennent	tiendront	tenaient		tiennent

venir *to come*

Infinitive	Present	Future	Imperfect	Past/Present participle	Present subjunctive
je	viens	viendrai	venais	venu(e)(s)	vienne
tu	viens	viendras	venais	(➠ être)	viennes
il/elle/on	vient	viendra	venait		vienne
nous	venons	viendrons	venions	venant	venions
vous	venez	viendrez	veniez		veniez
ils/elles	viennent	viendront	venaient		viennent

vivre *to live*

Infinitive	Present	Future	Imperfect	Past/Present participle	Present subjunctive
je	vis	vivrai	vivais	vécu	vive
tu	vis	vivras	vivais	(➠ avoir)	vives
il/elle/on	vit	vivra	vivait		vive
nous	vivons	vivrons	vivions	vivant	vivions
vous	vivez	vivrez	viviez		viviez
ils/elles	vivent	vivront	vivaient		vivent

voir *to see*

Infinitive	Present	Future	Imperfect	Past/Present participle	Present subjunctive
je	vois	verrai	voyais	vu	voie
tu	vois	verras	voyais	(➠ avoir)	voies
il/elle/on	voit	verra	voyait		voie
nous	voyons	verrons	voyions	voyant	voyions
vous	voyez	verrez	voyiez		voyiez
ils/elles	voient	verront	voyaient		voient

vouloir *to want*

Infinitive	Present	Future	Imperfect	Past/Present participle	Present subjunctive
je	veux	voudrai	voulais	voulu	veuille
tu	veux	voudras	voulais	(➠ avoir)	veuilles
il/elle/on	veut	voudra	voulait		veuille
nous	voulons	voudrons	voulions	voulant	voulions
vous	voulez	voudrez	vouliez		vouliez
ils/elles	veulent	voudront	voulaient		veuillent

Index

Techniques de travail

Mieux communiquer

Instructions

Cette liste contient uniquement les mots les moins connus.

accord *m* agreement
à l'aide de with the help of
à nouveau again
à partir de from, using
à plusieurs with several others
à tour de rôle in turn
à voix haute aloud
abordé exploited
afin de in order to
ajoutez add
ainsi like this
améliorez improve
appliquez apply
attention careful
au hasard at random
au moins at least
avant before

basez-vous sur use, start from
bilan *m* outcome, evaluation
brouillon *m* rough work

chaque (chacun) each (one)
cherchez look up
chiffre *m* figure
ci-contre opposite
ci-dessous below
ci-dessus above
citez quote, name
cochez tick
conseils *m* advice
corrigé *m* corrected version
côté *m* side
couper to cut
couplet *m* stanza

d'après vous according to you
déduisez deduce
devinez guess
données *f* data
dressez (une liste) draw up

ensemble together
enregistrez-vous record yourself
entraînez-vous practise
exposé *m* presentation
expression(-clé) *f* (key) phrase
évitez avoid

faites correspondre match up
feuille *f* sheet, copymaster
fois *f* (**une fois . . .**) time (once . . .)

gardez keep
genre *m* gender; kind, type

le mieux best
lequel . . . ? which . . . ?
lexique *m* word list

meilleur best
même same
moitié *f* half
mots *m* **de liaison** link words

par cœur by heart
paroles *f* lyrics
passez à move on to
phrase *f* sentence
plusieurs fois several times
propre own, personal

racine *f* root, stem
rédaction *f* essay
réfléchissez think
relevez note
relisez read again
remettez put back
repérez spot
résumé *m* summary

sans without
sens *m* meaning
sondage *m* survey
soulignez underline
suivant following
suivez follow
sujet *m* topic

terminaison *f* ending
tiré de extracted from
traduisez translate

vérifiez check
vous arrive-t-il . . . ? do you ever . . . ?